흑인의 모성

흑인의 모성

| 김미아 지음 |

도서출판 동인

차 례

1 흑인의 모성

토니 모리슨의 소설에서 그려지는 흑인 가정은 모성이 존재하지 않는, 설령 존재한다 하더라도 그 모성이 자녀들에게 긍정적인 방향으로 전달되지 않고 오히려 부정적으로 표출되는 양상을 보인다. 작품 속 흑인 어머니들은 자신들의 삶 속에서 경험한 인종차별과 성차별을 내재화하여 무의식적으로 그들의 자녀에게 강요함으로써 자녀와의 소통을 상실한다. 하층 계급의 어머니들은 실질적으로 가장인 경우가 많아서, 오랜 시간의 노동으로 인해 자녀와 소통할 물리적인 여건이 열악한 상황에 처하게 된다. 반면, 중산층 어머니의 경우, 사회, 경제적 지위의 상승으로 가부장제라는 백인 중심적 가치를 새롭게 받아들이면서 자신의 종족과 그 내재적 가치를 부정하고, 그것을 자녀에게 강요한다. 여기서 주목할 점은 이들 흑인 여성들이 출생 직후 어머니의 죽음이나 무관심, 또는 모성발현이 불가능한 상황을 겪은 후 양육자가 되어 다시 자신들의 자녀에게 모성부재 현상을 재현하고 있다는 것이다. 이 현상은 영, 유아시기의 아이가 어머니와 관계 맺기를 통해 모성을 경험하게 되고, 그 경험이 아이의 성장과 발달에 결정적인 역할을 한다는 것을 증명한다. 모성부재를 분석하는 데 있어서 어머니와 유아 간의 초기 관계에 비중을 둔다는 것은 적용시기와 강조점에 있어서 강점을 보이는 대상관계이론의 적용을 불가피하게 한다. 본서는 대상관계이론을 그 이론적 근거로 하고, 그 뿌리를 정신분석이론에 두려한다. 정신분석이론이 오이디푸스 시기에 기초해서 욕동과 본능을 강조한 것과는 달리, 대상관계이론은 출생 직후인 전 오이디푸스 시기에 기초한 대상 지향적 '관계'에 집중한다. 따라서 작품의 등장인물들이 태어나면서 버려지거나 부모의 관심으로부터 소외되어 관계형성에 실패함으로써, 결국 박탈과 정신병리 현상을 겪게 된다는 점에서 대상관계이론은 더욱 설득력 있게 적용된다.

저자는 흑인 어머니들의 온전성을 억압하는 요인들로써 서구의 이분법적 사고, 가부장제, 그리고 강제된 모성에 주목하고, 이에 대한 반응으로 나타난 초기 페미니즘과 흑인 페미니즘을 살펴보고자 한다. 첫째, 서구 이분법적 사고는 삶의 전반을 구조하는 보편원리로써 지금껏 높은 위상을 차지해왔지만 그 경직성 때문에 비주류의 소외계층에게 큰 피해를 끼쳐왔다. 이분법적 틀 안에 갇힌 한, 소외계층인 흑인을 바라보는 시선은 쉽게 바뀌지 않을 것이다. 또한 흑인 모성의 문제의 또 다른 원인이 되는 가부장제는 백인 남성중심이라는 주류 문화를 지탱해온 강력한 가치 체계이다. 서구의 이분법적 사고에 근간을 둔 삶의 방식은 '보편성'으로 작용하는 반면, 그러한 이분법적 보편성에는 늘 강자에 대비되는 약자가 존재하고, 주류에 반대되는 비주류가 존재했다. 그리고 이분법적 사고에는 늘 강자와 주류에 의한 폭력이 필연적으로 존재한다. 이분법적 사유에서 비롯된 두 개의 서로 다른 대립항 중 약자에 속하는 대립항은 강자의 대립항과 대등한 지위를 부여 받지 못하고 강자에 기생하여 정의된다. 나른 하나가 없이는 또 다른 하나의 의미가 정의되지 못하는 '불구성'을 지녔음에도 불구하고, 이분법적 사고는 보편성을 등에 업고 폭력을 행사해왔다. 이분법적 사고의 폐단은 크게 인종차별과 성차별에 따른 계층의식을 강화하는 역할을 담당해왔다.

먼저 인종주의적 관점에서 이분법적 사고의 폐단을 살펴보면, 미국이라는 큰 몸체는 흑과 백이라는 거대한 두 대립항으로 구성되어 세상과 소통해 왔음을 알 수 있다. 사회적으로 우월한 위치를 점하고 있는 '백'이라는 항은 마치 약속이라도 한 듯 집단행위로써 '흑'이라는 항을 '불가시적 존재'로 치부해왔다. 두 대립항에 대한 충분한 이해가 뒷받침 되지 않는 한, 백과 흑이라는 두 항은 흑인문화를 비롯한 흑인성을 악으로 규정해 버리고, 무조건적 거부라는 인식을 생산해 낼 수밖에 없다. 이러한 미국의 현실은 흑인들 스스로 백인 중심의 이기적이고 배타적인 주류문화에 대해 무조건적이며 맹목적인 욕망을 갖도록 작용해 왔다. 브루스 핑크Bruce Fink가 자신의 저서 『라캉과 정신의학』(1997)에서 밝힌 욕망의 변증법이론(95)에 따르면, 흑인들을 사로잡은 진정한 욕망의 대상은 '백인사회로의 전폭적인 귀화'라고 할 수 없다. 이것은 곧 백인사회가 흑인을 더 이상 거부하지 않는다면, 그런 백인 사회는 더 이상 흑인들의 욕망을 부추기지 못할 것이며, 흑인들은 자신들이 욕망하는 백인사회가 주류인 백인들에 의해 흑인인 자신들이 거부되는 사회임을 깨닫게 된다. 다시 말해, 흑인에 대한 백인사회의 거부가 흑인들의 욕망의 원인으로 작용한 것이다. 핑크는 욕망의 원인과 욕망의 대상을 혼동하는 경우, 욕망이 대상에 의해 자극되는 것으로 보일 수 있다고 지적한다. 따라서 핑크는 욕망이 특정 대상과 관련이 있다거나 특정 대상만을 지향하는 것처럼 보이기 때문에, 욕망을 불러일으키는 원인이 거부와 배척과 같은 어떤 특질에 있는 것이 아니라 백인 또는 백인 중심의 가치로 대변되는 대상 그 자체인 것으로 오인될 수 있다고 말한다(95). 따라서 흑인들의 무조건적이고 맹목적인 욕망 또한 이분법적 사고의 폐단이 극복되지 않는 한, 흑인들의 삶에 긍정적인 변화를 이끌어 내는 역할을 하지 못한다는 것은 분명한 사실이다. 흑인 문학에서 갈등의 중심축이 되는 흑과 백은 세상을 구성하는 요소이며, 어느 하나가 우월하거나 열등할 수 없다. 모리슨이 『술라』에서 성차별과 인습에 도전한 술라Sula의 삶을 지지하지만, 그 문제점을 인식하면서도 가정을 지켜내기 위해 인습적 가치에 순응하는 넬Nel의 삶 또한 배제하지 않는 모습에서, 작가가 미래지향적인 삶을 지향하지만 과거에 기초한 공동체적 삶의 방식 또한 간과하지 않는다는 것을 알 수 있다. 이분법적 사고의 폐단을 극복한 흑백간의 조화로운 세상이 기대된다.

둘째, 가부장적 사회규범에 맞서 자신의 영역을 당당히 구축한 초기 페미니즘은 가부장적 가치의 피해자이자 전수자인 어머니가 휘두르는 모성부재의 모습을 비판하고, 성차별로 인한 정체성 위기에 직면한 흑인자녀에게 이러한 차별적인 상황을 극복할 수 있는 정신적인 근거를 제공한다. 이분법적 틀에 의해 강화된 또 다른 폐단인 성차별은 가부장제라는 백인 남성 중심적 사고에 의해 정당화되어 왔다. 가부장제에 반발하여 나타난 사조로서의 초기 페미니즘은 이분법적 사고의 폐단과 맹점을 부인함으로써 자신의 영역을 성공적으로 구축한 예로 볼 수 있다. 초기 페미니즘에 기초한 문학 작품들이 종전의 성 범주를 벗어난 여성의 성, 계급, 인종, 그리고 문화 등의 삶의 모습들을 충분히 담아내지는 못했다는 비판도 있지만, 백인 남성 중심의 가부장제라는 대립항에 맞서 대안적 사조로서의 역할은 꾸준히 수행해왔다.

아드리엔느 리치Adrienne Rich는 자신의 저서 『더 이상 어머니는 없다』(*Of Woman Born*, 1976)에서 가부장제 하의 사회적, 정치적 현실과 모성의 관계에 대해 기술한다. 가부장제 하의 삶 속에는 여성들의 행동을 통제하는 보이지 않는 틀이 존재하고 그 틀의 중심에 남성적인 힘이 위치한다. 가부장적인 남성의 힘은 우리의 언어와 모든 삶에 자연스럽게 스며들어 있어서 구체적으로 파악하기 힘들며, 그러한 남성적 힘이 허용하는 최대치의 지위와 성취감을 얻고자 하면 여성은 수많은 대가를 치러야만 한다. 리치는 로버트 브리포트Robert Briffaut의 주장을 빌어 가부장제를 설명하는데, 리치는 인간역사상 사회화 요소는 남성의 기능과는 전혀 관계가 없으며, 근본적인 사회화 요소는 여성의 기능과 연관된 본능의 작용으로 거슬러 올라가야한다고 주장한다(리치 재인용 59). 리치는 원시 모계사회에서 여성이 행사했던 생산적, 주술적, 실제적 권한을 남성들이 빼앗음으로써 가부장제가 발전하게 되었으며, '모가장제'는 단순히 남성이 아닌 여성에게 권위가 있다는 것을 의미하는 것이 아니라, 여성이 창조력으로 충만하고 생명체적 권위를 보유하고 있음을 의미하는 것이라고 주장한다. 다시 말해, 흑인 가정의 상황에서 여성이 남성과 동등한 가장의 역할을 할 뿐 아니라 실질적인 가장이라고 할지라도, 여성이 생명력과 창조성을 상실한 채 사회적 틀 안에서 무력화되고 억압된 역할 수행을 경험한다면, 그것은 체제 강화를 위한 수단으로써의 역할일 뿐이지 진정한 의미의 모성적 힘이라고 할 수 없다는 것이다.

모리슨의 작품에서 가부장제는 여성을 억압하는 근원으로 작용할 뿐 아니라 정상적인 모성발현을 저해한다. 그녀의 작품에는 흑인 자녀의 정체성 형성을 좌지우지하는 다양한 형태의 모성이 자리하는데, 관점의 차이가 다소 있으나 모성발현의 형태들은 생명력으로 충만한 모성, 자식의 삶을 좌지우지하는 실질적 모성, 방향감각을 잃고 앞으로 날려 나가는 맹목적 모성, 자식의 성장을 가로막는 모성, 자녀와의 소통을 상실한 모성 등 다양하다. 모리슨은 다양한 모성의 형태를 그려냄으로써, 이분법적 사고의 틀 안에서 부정적인 요소들로 왜곡된 흑인 여성이자 어머니가 지배 권력의 고의적인 무지와 도덕적 불감증으로 인해 겪게 되는 이중, 삼중의 고충을 적나라하게 그려낸다. 즉, 흑인 가정에서 드러나는 갖가지 부정적인 형태의 모성은, 모성이 생득적으로 강인한 것이 아니라 사회적으로 강요된 연출이며, 모성 그 자체가 지니는 생명력이 권력의 요구에 따라 이용되어 왔음을 보여준다. 엘리자베스 바뎅테르Elisabeth Badinter는 자신의 저서 『만들어진 모성』(*L'Amour en Plus*, 1980)에서 17, 18세기 모성부재의 실상을 폭로하면서 '여성에게 근본적으로 모성이 없다'고 주장한다(88-92). 이러한 모성부재의 양상들은 모리슨의 작품에서 존속살해, 영아유기, 생계형 무관심, 감정적인 폭력, 가부장적 질서의 답습 등과 같은 다양한 모습으로 나타난다. 그녀가 폭로하는 17, 18세기 여성들의 선택적 모성발현은 당대의 사회적, 정치적 가치를 반영한 것이며, 따라서 모성은 그 가치를 실현하는 대리인으로서의 역할을 수행하는 것으로 볼 수 있다.

모리슨의 작품은 사회적 가치의 대리인으로서의 흑인 어머니가 백인 남성의 인종주의적이며 성차별적 시선에 전적으로 의존하여 정체성 위기를 겪게 되면서 흑인 자녀들에게 그와 같은 시각을 대물림시키는 것을 부각시킨다. 모리슨이 묘사하는 흑인 가정에서 이와 같은 모성부재의 증상이 더욱 더 단적으로 묘사되는데, 아이가 부모와의 부정적인 관계를 자신의 마음속에 내재화하여, 부정적으로 내재화된 부모와 아이 자신의 모습이 아이의 행동과 삶에 영향을 미친다는 것이 작품 전반에 보인다. 모리슨 작품의 가장 두드러진 특징 중 하나는, 현존해 있는 이질적인 타자의 존재를 인식하고 있는 그대로 인정하는 것과 그 인정에 기초하여 자신의 정체성을 다시 확보하는 일이 시급함을 경각시킨다는 점이다. 작품에 등장하는 모성의 부재는 '백인 중심적이고 가부장적 상황에서 발현되는 모성의 모습'이지, 자기 자신에 대한 인정에 기초한 '흑인 모성'의 모습이 아니다. 그러므로 본서는 흑인 모성에 대한 편견과 차별을 드러내고, 흑인 여성들에게 붙어 다니는 부적절한 수식어를 걷어내야 하는 과제를 수행하려 한다.

셋째, 흑인 페미니즘은 인종, 계급, 젠더에 근거한 차별이 사회화의 소산이라는 강한 전제 아래 흑인 여성의 생각과 행동에 의해 모성의 가치가 결정되어야 한다는 것을 주장하는데, 흑인 페미니즘에 대한 검토는 인종, 젠더, 계급, 섹슈얼리티, 민족 문제에 대해 흑인 모성이 그 해결책이 될 수 있음을 시사한다. 흑인 페미니즘을 검토하는 과정에서 필자는 흑인 어머니를 포함한 흑인 여성에게 강제되어진 억압을 해체하고 대상과의 관계에서 긍정적인 자기표상의 중요성을 강조하고자 한다.

1970년대 흑인 페미니즘이 발흥하기 이전 흑인 모성을 바라보는 시선은 백인과 흑인 남성들의 관점에서 이루어졌기 때문에 흑인 모성은 늘 가정문제의 주범으로 지목되었다. 따라서 70, 80년대 페미니즘은 인종과 계급문제에 대한 충분한 논의 없이, 백인 중산층 여성의 관점으로부터 모성문제에 관해 제한적으로 비판을 가했다. 80년대 이후에 이르러, 모성연구는 인종, 계급, 섹슈얼리티, 시민권 상에서 여성들 사이의 차이에 주목하기 시작했다. 새롭게 시작된 페미니즘은 외부의 힘이 흑인 여성들에게 필요 이상의 모성적 가치를 강요했고, 사회가 그동안 흑인 여성에게 곧 '강인한 어머니'라는 고정된 이미지를 지속적으로 생산해 왔음을 밝혔다. 이것은 70년대 흑인 페미니즘이 발흥하기 이전, 흑인 모성에 대한 분석이 남성들의 시각에 내맡겨 짐으로써 온갖 비난을 받아야 했던 것에 대한 반작용의 영향이라고 할 수 있다. 따라서 흑인 모성연구는 흑인 모성을 예찬하면서 강한 어머니상을 주입하려는 흑인 남성 작가들의 의도에 역행하여, 흑인 어머니들이 직면한 실제적인 문제를 다루는 쪽으로 전개되어야 함을 주장한다. 페트리샤 힐 콜린스Patricia Hill Collins는 자신의 저서 『흑인 페미니즘 사상』(*Black Feminist Thought*)에서 인종, 젠더, 계급, 섹슈얼리티, 민족과 관련하여 흑인 모성을 이용하려는 움직임과 흑인 여성 스스로 모성에 가치를 부여하려는 움직임 간에 지속적인 긴장이 있어 왔음을 지적한다(304). 그 긴장 속에서 흑인 페미니즘은 흑인 모성이 외부의 힘에 의한 것이 아니라 흑인 여성 스스로의 생각과 행동에 의해 그 가치가 결정되어야 한다는 것을 인식하게 되었고, 이로 인해 점차 흑인 모성의 긍정적인 측면에 주목하기 시작한다. 그 결과 흑인 여성들에게 가해지는 여러 억압에도 불구하고 긍정적인 흑인 모성의 이미지가 그려지게 된다. 자녀와의 관계에서 존경과 사랑, 그리고 유대감을 잃지 않았던 모성, 백인 가정에서 하녀 역할을 하면서 경험한 보잘 것 없는 백인들에 대한 이야기를 자식에게 전하면서 일과 인종적 우월감 간에는 아무런 연결점이 없음을 말해주는 자존감으로 충만한 모성, 흑인 자녀에게 미래에 더 많은 기회를 제공하기 위해 자신을 희생한 헌신적인 모성 등이 그 예이다.

그동안 미국 흑인들은 '다르다'는 편견 때문에 타자로 규정되고 사회적 소외계층으로 내몰려왔다. 어떤 동물은 죽어도 되고, 또 어떤 동물은 보호받아야 한다는 인식이 사회화의 과정을 통해서 결정되듯이, 인종, 계급,

성차에 근거한 차별 역시 사회화의 소산이다. 모리슨을 비롯한 흑인 여성 작가들이 궁극적으로 지향하는 바는 흑인 여성에게 강제되어진 억압을 해체하는 일이다. 백인의 시선에 의해 노예 그리고 검둥이로 압축된 부정적인 이미지를 탈피하고 흑인 여성 스스로의 새로운 인식과 반성을 통해 자존감을 회복하자는 것이다. 스테파니 리Stephanie Li는 자신의 저서 『토니 모리슨: 전기』(*Toni Morrison: A Biography*)에서 모리슨이 첫 소설 『가장 푸른 눈』(*The Bluest Eye*)을 썼던 시기에 그녀가 작가로서 가졌던 열정과 철학을 소개한다. 리는 모리슨이 이 소설의 뒤표지에 흑인 특유의 곱슬머리를 한 자신이 카메라를 정면으로 바라보는 사진을 싣고, 앞표지에는 소설의 첫 두 문단을 적어 넣어 세 번째 문단의 나머지를 모두 읽어나가기 위해서는 책장을 넘기지 않으면 안 되도록 구성한 것에 주목했다. 리가 이 같은 모리슨의 구조적인 장치에 주목하는 이유는 모리슨이 독자 참여를 유도하는 책읽기를 예고했다는 점과, 그녀가 소설을 통해 탐구해온 흑인들의 수치심과 자기혐오에 도전했다는 점이다.

리가 그녀를 주목하는 또 다른 이유는, 모리슨이 20세기 초반의 흑인 남성 작가와는 달리 미국 흑인 사회의 충돌을 흑인 공동체와 흑인 여성의 경험을 통해 그려내고 있다는 점이다(31-42). 모리슨은 백인 중산계층을 모델로 한 흑인들의 극복의지는 자존감이 배제되었기 때문에 긍정적인 힘으로 전개되지 못하고 도리어 흑인 모성의 근간이 되는 흑인 공동체에 부정적인 영향을 미쳐왔음을 흑인 여성들의 모습을 통해 낱낱이 밝힌다. 『가장 푸른 눈』(1970)의 제럴딘Geraldine이나 『솔로몬의 노래』(1977)의 루스Ruth가 그 대표적인 예라고 할 수 있다. 이들 모성이 초래하는 무엇보다 심각한 문제점은 백인사회의 시선이라는 무기를 장착한 흑인 어머니의 시선이 그들 자신의 자멸은 물론 자녀들의 성장에 치명적이라는 것이다.

본서는 모리슨 작품의 분석을 통해 부모로부터 무관심과 학대를 받은 아이가 다른 사람과의 관계를 맺는 것에 대한 두려움 때문에 다른 사람과의 관계 맺기에 실패함으로써 소외와 병리적 증상을 겪는 것을 보이고자 한다. 아동의 삶을 구성하는 모든 관계 중에서 클라인이 가장 관심을 기울인 것은 어머니와 아동의 관계이다. 어머니와 아동의 관계는 너무나 강력하고 세상의 수많은 상호작용을 포함하기 때문에 이후에 모든 관계의 원형이 된다(캐시단 23). 따라서 본서는 생애 초기의 아이가 어머니와 맺게 되는 관계형성이 아이가 일생동안 맺게 되는 관계형성에 끼치는 지대한 영향과 중요성을 확인하고, 모성부재로 인해 아이들이 겪게 되는 문제들에 대한 대안을 모색하고자 한다. 방법적인 접근에 있어서 그동안 잘 다루지 않던 대상관계이론으로 흑인 모성의 부재를 다루게 되는데, 이 같은 접근은 지금까지 노예제의 상황, 인종차별에 따른 사회학적 맥락과 정체성 문제에 초점을 맞춘 정체성 정치학의 연구가 대부분이었던 흑인 모성연구로부터 차별화를 제시한다. 따라서 필자는 도널드 위니콧Donald Winnicott과 멜라니 클라인Melanie Klein, 그리고 존 보울비John Bowlby를 중심으로 한 대상관계이론을 사용하여 흑인 가정의 모성부재를 읽어내고자 한다. 그래서 이 저서에서 분석의 틀이 되는 도널드 위니콧과 멜라니 클라인, 그리고 존 보울비의 이론을 소개하며, 부정적인 자기표상과 공격적인 환상에 갇힌 모리슨의 『가장 푸른 눈』에 등장하는 흑인 여성과 그들 자녀의 모습을 '투사적 동일시'와 '환상' 이론을 사용해 분석할 것이다. 백인 남성중심의 가부장적인 가치로 무장한 중산층 어머니의 어긋한 모성의 모습을 위니콧의 '충분히 좋은 엄마'와 '자기개념', 그리고 '일차모성 몰입' 개념을 중심으로 연구해 나갈 것이다. 유년기에 모성부재의 증상을 겪고 성인이 된 두 흑인 등장인물을 소재로 모성의 부재와 그것을 극복하는 모습을 클라인의 편집, 분열시기와 우울시기 개념을 적용하여 분석하고자 한다. 더 나아가 『재즈』를 통해 이러한 기형적 부성과 모성의 결핍을 극복해내는 흑인 모성의 과정을 제시하고자 한다.

흑인 모성에 대한 충분한 이해가 사회전반에 뿌리내리기에 앞서 그 부정적인 측면을 다룬다는 것이 우려되기는 하나, 지금까지 사회적, 정치적 여건이 마련되지 않아 흑인 모성의 부정적인 측면이라는 주제가 다른 흑인 작가들의 작품에서 다루어지기 어려웠다는 점을 전제로 할 때, 본서의 의의는 미국사회의 고정된 타자로서의 흑인의 문제점을 흑인 여성과 자녀간의 관계에서 드러난 모성과 대상관계이론을 통해 파악한다는 것에 있다고 하겠다.

2 모성과 대상관계이론

대상관계이론은 프로이트와는 달리 전 오이디푸스 시기에 관심을 집중하였는데, 이것은 프로이트가 성인에게서 아동의 모습을 추적했던 것과 달리, '클라인이 아이 안의 유아를 추적했다'는 비유로 쉽게 설명될 수 있다. 프로이트는 인간의 성적 인생을 생후 약 5세까지인 유아 성욕기, 5세에서 12세까지 잠복기, 그리고 사춘기부터 성인까지인 성기기genital stage라는 세 단계로 구분하였고 그 첫 번째 단계인 유아 성욕기를 다시 구강기(0-1세), 항문기(1-3세), 그리고 오이디푸스 갈등의 시기인 남근기(3-5세)로 구분하였다. 프로이트의 정신분석이 오이디푸스 갈등의 시기에 뿌리를 두고 욕동추구를 인간의 기본적인 동기로 파악한 욕동이론을 전개하였다면, 대상관계이론은 오이디푸스 갈등 이전 시기에 기반을 두고 프로이트의 욕동 이론을 얼마만큼 수용 또는 반대하는 가에 따라 정통 프로이트 학파, 클라인 학파, 그리고 독립 학파라는 세 개의 학파로 나뉜다. 안나 프로이트Anna Freud를 중심으로 한 전통 프로이트 학파는 전적으로 본능-욕동지향 instinctive-drive-oriented적인 반면, 클라인 학파는 욕동이론과 대상-지향 object-oriented 이론을 결합하였으며, 독립 학파 중 한 명인 위니콧은 유아-어머니 관계의 정서적 틀이 욕동의 발달에 결정적으로 중요하다는 입장을 취했다. 또한 보울비는 이들 욕동에 근거한 이론과 관계에 근거한 이론들과는 달리, 인간의 자율적인 체계를 통해 발생한 관계가 자연선택을 통해 특정한 욕구, 행동, 그리고 능력으로 연마된다는 특이한 입장을 취한다. 본 장에서는 관계, 특히 어머니-유아 관계에 의미를 두고 프로이트 정신분석과는 차별화된 시각을 갖고 있는 클라인의 주체관계이론, 위니콧의 자기개념, 그리고 보울비의 애착이론을 살펴보고 작품 분석에 적용하는 데 있어서의 타당성을 제시하고자 한다.

먼저 멜라니 클라인의 주체관계이론을 살펴보면, 정신분석작업에서 아이들을 거의 대상으로 하지 않았던 당시 흐름과는 달리, 클라인은 아동치료에 정신분석 기법을 새롭게 적용하여 정신분석 임상연구 분야의 새로운 영역을 개척하였다. 아동기의 경험과 성인의 성격간의 연결고리를 확인하기위해 아동치료에 인형과 진흙, 그리고 그림 등을 사용한 놀이치료를 적용하고 관찰한 클라인은, 아이가 리비도 조절보다는 대인관계에 더 많은 에너지를 쏟는다는 것을 밝혀냈다. 클라인은 프로이트 이후 현대 정신분석에 누구보다 많은 영향을 끼친 사람으로 인정을 받고 있으나, 아이의 무의식에 대한 깊은 탐색이라는 그녀의 분석방식은 그녀를 고립시킬 만큼 많은 반대에 부딪혔다. 클라인의 딸이자 분석가인 멜리타 쉬미데베르그Mellitta

Schmideberg는 클라인의 연구를 반박하면서 공개적으로 클라인을 공격하였는데, 그 주된 이유는 어머니로서 그녀가 외부 현실에 힘들어하는 아이들의 어려움에 대해 충분히 귀 기울이지 않았다는 것이다. 유년시절, 클라인은 언니에 대한 아버지의 편애를 감당해야했고 어려운 가정 형편 때문에 늘 바빴던 어머니 대신 유모의 젖을 먹고 자랄 수밖에 없었다. 부모의 편애와 무관심으로 인해 누구보다도 부모의 사랑과 관심에 목말라 했던 클라인이 오히려 자식으로부터 모성부재로 인한 분노의 대상이 되었다는 점은 사회, 경제적으로 열악한 환경으로 인해 모성부재의 증상을 보이는 흑인 모성에 시사하는 바가 크다.

클라인Klein은 투사적 동일시projective identification라는 용어를 처음으로 사용하는데, 투사적 동일시란 죽음의 공포를 담아낼 능력이 없는 유아가 자신을 위협하는 '나쁜 대상'을 자신의 내면으로부터 분리하여 다른 사람 속으로 투사함으로써 해를 입히려하고, 조정하고, 소유하려고 하는 것을 말한다. 클라인의 투사적 동일시 개념을 발전시킨 비온Bion은 유아가 처리할 수 없는 날 것 상태의 감각, 감정, 인식과 같은 것을 배타 요소beta element라고 칭한다. 그리고 대상에 투사된 배타 요소는 대상이 지닌 환상 능력에 의해 담아내고, 동일시되며, 변형되어 유아가 처리할 수 있는 상태로 되돌려지는데, 이것을 알파 기능alpha function이라고 한다. 베타와 알파라는 용어로 설명된 비온의 투사적 동일시는 클라인의 투사적 동일시를 '한 사람의 마음속의 환상'intrapsychic fantasy이 아니라 '두 사람의 심리 상태에서 발생하는 복잡한 관계적 상호작용'interpersonal interaction으로 그 개념을 확장시켰다. 캐시단에 의하면, 투사적 동일시는 자신의 나쁜 일부를 제거하려는 투사적 환상에서 시작하지만 투사 대상자로 하여금 투사적 환상에 적합한 반응을 하도록 실제적인 압력을 가한다(107).

이와 같이 클라인 이론은 원시적으로 타고난 파괴성이 유아의 삶의 동력이 되고 갈등의 중심이 되며, 유아는 공격성을 기본 동기로 해서 대상과 환상적인 관계를 맺게 됨을 특징으로 한다. 일상에서 흔히 보이는 투사와 투사한 내용을 재 경험하는 내사의 과정에서 투사자는 투사 대상자에게 공격성을 품게 되고, 그를 자신에게 파괴적인 의도를 가진 존재인 것으로 경험한다. 이때 투사 대상자는 투사자의 환상이 적용된, 투사자의 공격적 충동을 해소시키는 근본적인 대상인 것이다. 대상관계이론에서 대상이란 사랑이나 미움과 같은 감정을 받는 사람, 장소, 사물, 혹은 환상을 의미한다. 대상에는 내적 대상과 외적 대상이 있는데, 내적 대상은 어떤 정신적 표상, 즉 어떤 이미지나 개념, 환상, 감정 혹은 다른 사람과 관련된 기억인 반면, 외적 대상은 실재 사람이나 사람이다(해밀턴 『대상관계 이론과 실제』 22). 실재하는 외적 대상은 주체에 의해 경험됨으로써 내적 대상이 되며, 주체는 중요하다고 여겨지는 대상과의 관계를 통해 자신에 대한 심리적 느낌인 자기 표상을 갖게 된다. 자기 표상self representation은 긍정적인가 또는 부정적인가에 따라 타인과의 관계에서 중요하게 작용한다. 클라인은 유아가 자신의 존재를 타인으로부터 확인받지 못할 경우[1] 자기소멸로 갈 수 있는 파괴적인 내적 힘이 존재한다고 믿었다.

1) 로이는 매춘여성인 어머니와 알코올 중독자인 아버지 사이에 태어나 생후 초기부터 어머니의 돌봄을 전혀 받지 못한 채 성장한 흑인 남자아이이다. 그는 폭발적인 분노와 심한 욕설은 물론, 벽지나 분필과 같은 먹어서는 안 되는 것을 먹어치우는 섭식장애를 가지고 있다. 분필을 로이에게 쥐어 주며 그의 감정을 표현하도록 하는 치료과정에서 분석기는 가슴 아픈 아이의 내적 표상을 경험한다. 백색의 분필가루를 온 얼굴에 문질러 바른 로이는 울고 있었고 눈물자국에는 검은 피부가 드러나 있었다. 그는 자신의 검은 피부색 때문에 부모가 자신을 버린 것이라고 결론을 내린다. 로이를 비롯한 흑인 아이들에게 있어서 '나쁜 놈'은 늘 검은 피부에 기인하기 때문에 이때 어머니의 역할이 무엇보다 중요하다(캐시단 61-68).

관계성의 관점에서 발달을 설명하는 클라인은 유아의 세계가 좋음과 나쁨으로 이분화 되어 있으며, 이들 간의 역동적인 상호작용에 주목한다. 클라인에게 있어서 기본적인 갈등은 유아가 갖는 사랑과 미움의 감정을 보존하려는 마음과 파괴하려는 마음 간에 일어난다(캐시단 25). 유아가 악한 것을 외부대상에게 투사하고사 나쁜 대싱을 민들이 내며 그것으로부터 도망치면서 나쁜 대상을 파괴하려고 하는 단계가 편집, 분열시기paranoid-schizoid position이다. 생후 3-4개월에 해당하는 이 시기는 탄생의 고통을 자신에 대한 학대로 기억하는 유아에게 있어서 자신의 파괴적인 충동을 다루는 첫 기회가 된다.

이 시기를 지나면서 유아는 '나쁨'으로 가득한 외부세계에 위협을 느끼게 되고 자신의 본능에서 비롯된 '좋음'을 투사하여 세상을 온화하게 만들려는 보상적 욕구로서 좋은 대상을 만들어 낸다. 생후 4개월에서 생후 2년 초까지 지속되는 이 시기에 유아는 자신이 경험한 유형을 통합하여 부분이 아닌 전체 대상을 향하여 사랑과 믿음의 관계를 맺게 되는데 이 경험 조직을 우울시기라고 한다. 부모의 적절한 돌봄을 받는 환경에서 유아는 자연스럽게 편집, 분열시기에서 우울시기로 옮기는 노력을 하게 된다. 이와 같은 단계의 변화는 곧 부모 및 다른 대상과 맺는 관계가 매우 중요하다는 것을 의미하며, 좋은 관계가 사람을 사랑하고 그 사랑을 회복시킬 수 있다는 것을 증오와 악을 받아들여 용서할 수 있게 한다는 확신을 준다. 유아의 파괴적인 공격성과 그와 연관된 환상을 처리하기 위해 사용되는 편집, 분열시기와 우울시기 그리고 투사적 동일시는 모성부재로 고통 받는 유아가 성장과정에서 결여하거나 거치게 되는 이론적 장치이자 아이의 발달 단계를 묘사하는 클라인의 방식이다.

흑인 가정의 모성부재를 분석하는 과정에서, 필자는 인종차별과 성차별이라는 이중고를 겪고 있는 흑인 어머니들이 자신들에게 투사된 부정적인 내용들을 충분히 해결하지 못하고 오히려 자녀를 외면하고 공격한다는 사실과 이와 같은 흑인 어머니들의 병리적인 반응들을 그대로 내면화한 자녀들이 관계를 통한 정상적인 발달의 기회를 잃고 병리적 증상과 자기파괴를 겪는다는 사실을 작품을 통해 확인할 수 있었다.

다음으로 도널드 위니콧이 주장하는 자기개념의 출현은 의예과와 정신분석협회 수련과정을 마치고 최초의 남자 아동분석가가 된 그로 하여금, 임상의로서 실제 진료와 이론에서 관계적인 접근을 취하도록 하였으며 정서발달에 본능만큼이나 환경이 중요하다는 것을 역설하게끔 하였다. 통합되지 않은 상태의 초기 유아는 어머니의 적절한 돌봄이라는 일차모성몰입primary maternal preoccupation을 통해 자신에 대한 주관적이 느낌이라는 존재의 연속성을 형성하게 된다. 이 과정은 유아가 어머니에게 신호를 보내고 어머니는 그 신호에 따라 유아를 이해하고 반응해줌으로써 '주관적 전능감'을 갖게 되는 과정이기도 하다. 위니콧은 이것을 환상의 순간moment of illusion이라고 불렀는데, 유아는 전능감omnipotence을 반복적으로 경험함으로써 외적 실체를 믿게 되고 주관적 전능감을 포기할 수 있게 되며, 그 결과 유아는 전능한 창조와 통제의 환상을 즐길 수 있게 된다.

어머니의 바람직한 모성몰입이 지속되면 유아는 '자아관계성'ego-relatedness[2]이라고 불리는 상태에 이르게 되는데, 이것은 유아가 홀로 있으면서 자기를 경험하는 심리적 성장의 상태에 이르는 것을 일컫는다. 유아는 초기의 자기self가 '통합되지 않은' 상태로 삶을 시작하며, 모성경험을 통해 진정한 자기로 표현되고 성장한다고 보았다. 따라서 그가 말하는 '충분

---

2) 이것은 궁극적으로 자기 정체성과 연결되며, 중심적 자기가 침범당하지 않으면서 타인과 소통하려는 사춘기 청소년의 모습과도 연결된다(최영민 483).

히 좋은 어머니'good enough mother란 유아의 욕구에 충실하면서 자아관계성을 느낄 수 있게 유아를 감싸 안는 존재이다. 이때 유아는 엄마를 별개의 존재가 아닌 자신을 감싸 안는 존재로 인식하며 '환경이라는 엄마'로 경험한다. 한편, 유아가 원하지 않을 때 지레 짐작하여 반응하거나 유아의 요구에 맞추지도 못하는 어머니를 둔 경우, 유아는 현실적인 자존감을 발전시키는 데 어려움을 겪는다. 자율성을 침해당한 유아는 타인이 자신을 조종할 것을 두려워하거나 개인 영역을 개발하지 못한다. 생애 초기의 '참 자기' true-self는 심장활동과 호흡과 같은 감각의 살아 있음 그 이상을 의미하지 않으나, 여기에 헌신적인 모성 돌봄이 더해지면서 유아는 '주관적 전능감'을 갖게 되고 유아의 전능성에 반응해주는 참 좋은 어머니의 역할은 유아가 자신을 만족시키는 외적 실체가 있음을 인식하게 한다. 그 결과 외부 세계와 결합된 참 자기는 유아로 하여금 삶을 생생하고 창조적으로 느끼게 한다.

이와는 반대로 유아에게 충분히 반응하지 않는 부모를 둔 유아는 자신이 어느 누구로부터도 공감을 얻지 못할 것이라고 생각하고 자신의 요구를 표현하기보다는 다른 사람의 요구에 맞추는 '거짓 자기'false self에 더 편안함을 느끼게 된다(고메즈 148). 위니콧은 초기 아동기에 부모의 돌봄이 유아의 욕구를 충족시키지 못할 때 거짓 자기 기능이 생겨난다고 보았는데, 아이의 진정한 감정과 욕구를 부모가 부인하거나 인식하지 못하는 경우 부모와의 친밀감을 유지하기 위해 아이는 부모의 기대를 마치 자기의 기대인 것처럼 동일시하게 된다. 그 결과 유아는 자신을 포함한 실재하는 것이 아무것도 없다는 느낌을 갖게 되며, 외롭고 격분한 '참 자기'를 감추려 하는 무의식적이고 은밀한 감각을 갖게 된다(해밀턴 『자아기능』 107-8).

따라서 대상으로서의 어머니의 '일차적 모성몰입'과 환경으로서의 어머니의 '충분히 좋은 어머니'는 살아있는 감각에 지나지 않는 '초기 자기'에 외부세계를 결합시킴으로써 유아의 삶에 생명력을 부여하고 극단적인 거짓 자기의 필요성을 줄인다. 본 저서는 인종주의와 가부장적 가치에 함몰되어 '비존재'로 전락한 어머니들이 모성적 역할보다는 이데올로기적 가치에 전념함으로써 흑인 자녀들로 하여금 거짓 자아를 발현시키고 급기야 정신병리 증상을 겪게 한다는 점을 다룰 것이다.

마지막으로 보울비는 정통 프로이트 학파나 클라인 학파가 검증된 지식의 구성체가 아니라 비과학적인 영향 하에서 의미와 상상에 치중한 것에 대해 비판을 가하면서 '욕동'에 관한 이론과 '관계'에 관한 이론 사이에서 특이한 입장을 취한다. 그는 정신분석을 발달심리학과 동물행동학 및 체계이론과 연결시킨 애착이론을 주장한다. 그의 애착이론은 인간이 환경과의 상호작용 속에서 관계를 만들고 유지하는 생래적인 행동 패턴을 가지고 태어난다는 것을 전제하기 때문에 인간의 발달이 애착 대상과 다른 중요한 사람에 대해 애착을 유지, 형성하는 과정이라고 말한다. 현실적인 최초의 애착 대상은 엄마이지만, 애착 대상이 성별이나 친족관계와는 무관하게 모든 주된 양육자를 포함한다는 점에서 애착이 수유에서 파생되는 것이 아닌 감정적인 성숙을 위해 필수적인 것임을 입증한다.

라비니아 고메즈Lavinia Gomez는 자신의 저서 『대상관계이론 입문』(*An Introduction to Object Relations*)에서 보울비가 제시하는 애착의 발달 단계를 소개한다. 첫 번째 단계는 생후 6개월 정도에 해당하는 시기인데, 유아는 울기와 빨기, 미소 짓기와 같은 본능적인 행동을 통해 양육자가 유아에게 반응하고 감정적으로 아기에게 몰두하도록 강압하고 유혹하기를 번갈아 한다. 따라서 엄마와 유아는 신체적으로나 감정적으로 서로에게 가까이 있으려는 강한 동기를 갖게 되고 오래 떨어져 있는 경우 둘 다 불안감을 느낀다. 이 시기의 아기는 자신에게 반응해주는 사람과 적극적으로 관계하면서 양육자의 적극적인 돌봄을 안전기지로 삼아 사물과 세상에 대한 탐험을 시작한다. 두 번째 단계는 6개월에서 3세 이전까지에 해당되는 시기로, 유아는 주된 양육자에게 강렬한 애착을 보이며 모르는 사람에 대해 위협을 느끼는 '낯선 사람에 대한 불안'stranger anxiety을 드러낸다. 이 시기의 유아는 주된 양육자와 물리적으로 가까이 있으려는 강한 욕구를 가지며 장기간의 분리를 겪는 경우 주요한 트라우마를 겪게 되고 유아는 새로운 애착관계를 형성할 수 없게 된다. 다음 단계로 대략 3-4세를 넘기면서 유아는 엄마가 어디에 있는지 또는 언제 돌아오는지를 알고 있으면서 실제로 엄마가 눈에 보이지 않는 것을 견딜 수 있게 된다. 기어 다닐 수 있게 됨에 따라 엄마를 안전기지로 사용하되 엄마와 떨어져 엄마로부터 덜 의존적인 단계, 자신이 보고 들은 것으로부터 정보를 추론할 수 있는 단계 그리고 내면의 안전 기지를 발달시키는 단계에 이른다.

애착의 유형과 삶의 여건에 따라 다소 차이가 있으나, 대부분의 삶들은 자신들이 의지할 수 있을 뿐 아니라 서로 소중하게 인정하고 인정받을 수 있는 안전기지로서의 소수 몇 사람을 필요로 한다(고메즈 252). 정통 프로이트 학파의 안나 프로이트와 클라인 학파의 클라인의 경우처럼, 독립 학파의 보울비 역시 손위 형제에 대한 부모의 편애로 인해 박탈을 경험하는데, 그는 일차적 애착대상인 어머니가 '안전기지'로서의 역할을 해야 한다고 주장한다. 그는 중요한 사람으로부터 일시적 또는 지속적으로 분리되는 경험을 위기상황으로 간주하고 '안전기지'의 필요성을 강조하는데, 충분한 '안전기지'는 발달 단계에 있는 유아에게 안식처를 제공하고 세상으로 아나가는 힘을 제공한다. 충분히 안전한 기지가 없으면 유아는 불안을 느끼며, 관계와 관계를 위한 새로운 기회에 대한 경험이 '내적 작동모델'로 부호화되는 것을 방해한다. 내적 작동모델이란 환경을 이해하는 개념적 틀이며, 발달하는 유아는 상호작용 경험을 통해 관계에 대한 일련의 모델들을 틀로 구성하고 그 틀을 통해 자신의 행동을 유도한다. 「존 보울비John Bowlby와 애착이론」에서 박경순은 보울비가 동물행동학etiology과 정신분석학psychoanalysis을 접목하여 모성의 박탈이 유아에게 미치는 치명적인 영향을 애착이론을 통해 밝힌다고 언급하는데, 이것은 모성이 유아의 자아형성과 신뢰감에 중요한 역할을 하고 있음을 역설한 것이다(109).

보울비는 20세기 서구 사회의 핵가족의 고립을 개탄하고 어린아이를 돌보는 일을 성인 한 명이 도맡아 하는 것은 너무나 고되고 고립된 일이라는 인식 하에 주된 양육자 이외에 부가적인 애착 인물을 강조한다. "아이는 엄마가 돌봐야 한다"라는 보울비의 주장은 페미니즘의 강한 저항에 부딪히고 왜곡된 목적을 위해 이용될 가능성이 높으나, 이 같은 주장은 제2차 대전을 거치면서 모성에 대한 강조와 박탈이 여성에 대한 노동의 필요유무에 따라 정치적인 목적에 의해 이용되는 것을 경험한 그로서는 당연한 것이다. 그는 신생아조차 엄마의 보살핌에서 떼어 놓는 당시 사회정책에 분노를 표하면서 특히 3세 이하의 유아가 자발적이고 행복한 엄마에 의해 양육되는 것이 이상적이라고 제안하였으며, 엄마가 육아로부터 휴식할 수 있는 시간을 가질 수 있다는 점에서 3세 이상의 유아를 보육시설에 보내는 것을 권장하였다. 보울비의 이론은 공동 육아라는 흑인 공동체의 전통으로부터 단절된 도시 핵가족 가정의 흑인 어머니들이 바쁜 현실에 내몰려 자신들의 양육에 대한 열정에도 불구하고 모성부재를 초래하게 된다는 측면에 비중 있게 적용된다.

3 모성 소통의 부재

모리슨은 자신의 첫 소설『가장 푸른 눈』을 통해 흑인 가정의 아이들이 겪게 되는 모성이 부재한 삶의 모습을 그들의 시선으로 관찰하고, 그 문제점을 적나라하게 공론화함으로써 그들이 직면하고 있는 위기를 독자들과 함께 공감하려는 의지를 내보인다. 모리슨은 흑인 부모에 의해 흑인 자녀들에게 가해지는 폭력을 감정적인 폭력과 신체적인 폭력으로 구분하였다(Samuels & Hudson-Weems 13-14). 그녀는 아이들에게 쏟아 붓는 부모의 감정적인 폭력이 삶에 지친 흑인 부모가 자식에게 표출하는 특별한 관심의 일종일 수 있다는 점을 인정하지만, 그것을 "그로테스크한 폭력"(13)으로 그려냄으로써 부모의 사랑과 폭력에 대한 구분을 분명히 한다.

모리슨은 부모들이 매일 자녀들에게 감정적인 폭력을 행사하지만 그 심각성에 대해 주목하는 사람은 많지 않다고 보았다(14). 작품 속에 투영된 흑인 사회 구성원들이 부모의 감정적인 폭력으로 인해 아이들이 겪게 되는 마음의 상처와 그 심각성에 대해 소홀했던 것과는 대조적으로, 마을 흑인들은 촐리Cholly가 딸 피콜라Pecola를 강간한 신체적 폭력에 대해 "혐오하고, 즐기고, 충격을 받고 격분하고 심지어 신이 나서 들뜬"(148) 반응과 "도를 넘는 증오"(148)를 보인다. 사무엘스Wilfred D. Samuels와 허드슨-윔즈Clenora Hudson-Weems 또한 근친상간이라는 신체적 폭력사건을 "사회적, 심리적, 개인적 폭력의 물리적 재현"(14)이라 단언하면서 그 심각성에 주목한다.

그러나 모리슨은 부모가 자식에게 가하는 신체적인 폭력보다는 감정적인 폭력에 더 많은 부분을 할애하고 있다. 부모의 각별한 관심에서 시작한 감정적 폭력은 흑인 자녀들에게 인종적 수치심과 백인 우월주의 가치를 강요하면서 소외감을 부추기고 폭력적 성향으로 발전한다. 작품 속 부모들은 자신들이 속한 사회로부터 상처받은 아이들의 감정을 보호할 능력과 의지를 상실한 상태이며, 따라서 이들 관계 특히 어머니와 자녀의 관계에는 불신과 자포자기가 자리하고 있다. 아이들은 사회의 욕구를 자신의 욕구로 받아들이도록 강요받는다. 자녀들에게 있어서 어머니는 아이들의 의사와는 상관없이 자신들이 좋아하는 것을 배우도록 강요하는 존재, 즉 "진보 없는 순응"(adjustment without improvement 22)을 변화라고 주입하는 존재이다. 정신분석적 여성주의는 여성의 본질이나 가치를 억압하는 남성 중심적 가치를 '동질성의 논리'the logic of the same라고 지칭하는데, 이 논리에 대한 예리한 통찰에 근거해 볼 때, 진보 없는 순응은 인종적 차이를 포함한 개별적 차이 없는 하나의 기준에 맞추려 한다는 점에서 맹종이다. 따라서 맹종을 강요하는 어머니는 자녀들에게 "모성이란 나이를 먹는다는 것이며 그래서 지금의 나와는 거리가 먼 가능성"(김애주 20)으로 각인한다. 강요와 조정이 이데올로기적 가치를 수반하는 한, 나이를 먹는다는 것과 어머니가 된다는 것에 대해 자녀가 느끼는 의미상의 차이는 없다.

작품에서 하층민을 대표하는 모성 중 한 명인 맥티어McTeer 부인은 경제적으로 어려운 가정에서 자녀들의 양육에 정성을 다한다. 그러나 그녀가 전혀 의식하지 못하는 사이 사회 전체에 만연한 백인 우월주의와 인종적 열등감을 자신의 자녀에게 표출하고, 그것으로 인해 자녀와 감정적인 단절을 초래하는 모습을 보인다. 그러나 맥티어 부인의 모성은 부정적인 측면보다는 긍정적인 측면에 대한 평가가 훨씬 우세하다. 클라우디아Claudia가 피콜라의 자멸에 대해 자신과 흑인 공동체에 책임이 있음을 느끼고 반성하는 모습, 맥티어 부인이 "경제적 어려움에도 불구하고 자신의 고통을 아이들에게 전가하지 않는" 모습, 그리고 불우한 아동의 대리모 역할을 수행하는 모습을 통해 우리가 짐작할 수 있는 "사랑 가득한 안정적인 부모로서의 돌봄"과 "매잡이"(hawk fighter 52)처럼 가족을 지키는 아버지의 모습은 많은 학자들로부터 긍정적인 평가를 받기에 충분하다. 그러나 맥티어 부인에 대한 많은 긍정적인 평가에도 불구하고 필자가 그녀의 모성에 대해 '부재하다'고 단정하고 분석을 시작하는 것은, 맥티어 부인이 간과하고 있는 감정적인 지지와 공감대의 결여가 자녀의 성장과 발달에 치명적이며, 따라서 맥티어 부인의 모성 소통의 부재가 결과적으로는 부정적이라는 점에 주목하고자 함이다.

피콜라가 초경을 치르는 야단 법석한 상황에서 맥티어 부인이 프리다Frida와 클라우디아의 설명에는 귀 기울이지 않은 채, 혼혈소녀 로즈마리Rosemary의 말을 더 신뢰하듯 그녀의 말만 듣고 상황판단 없이 프리다에게 회초리를 휘두른다. 그들은 신체적 상처와 함께 무너져 내리는 마음의 상처와 모욕을 받았다고 말한다. 프리다와 클라우디아에게 엄마라는 존재는 명령만 내리는 존재이며 아이들의 의사 따위는 묻지 조차 않는 존재이다. 프리다가 피콜라를 돕기 위해 분주하게 움직였다는 사실을 확인한 후, 엄마의 눈에는 미안함이 역력했다. 하지만 피콜라의 가랑이 사이에서 월경대가 떨어지지 않았더라면 엄마의 회초리질이 계속되었을 것이라는 사실은 프리다에게 큰 상처를 안겨 주었다. 또한 자신의 의지로는 어쩔 수 없는 건강상의 조짐으로 기침이라도 하게 되면, 아이들은 자신에게 쏟아지는 엄마의 비난과 그것으로 인한 모욕을 견뎌야 하는 존재가 된다. 소설의 초반부에 클라우디아가 토해놓은 것을 치우면서 엄마는 크게 화를 낸다. 아이들은 엄마가 내는 화가 자신들을 향한 것이 아니라 구토물 때문이라는 것을, 그리고 그들의 엄마가 자녀가 죽지 않기를 바라는 손길의 소유자(14)였다는 사실을 성장한 후에 깨닫게 되지만, 당시에는 그런 사실을 알지 못한다. 존 보울비는 물리적 분리 없이 일어나는 결핍, 즉 아이를 버리겠다거나 아이에게 자신이 죽어버리겠다고 위협하는 일이 흔히 일어난다는 사실을 발견하고, 이러한 언어적인 위협이 실제 분리만큼 아이에게 해롭고 자녀를 두렵게 만든다고 주장한다(고메즈 265).

> 엄마가 내는 화는 나로 하여금 굴욕감을 느끼게 한다. 엄마가 하는 말들은 나의 뺨에 상처를 내고 나는 울고 만다. 엄마가 나에게 화가 난 것이 아니라 내가 아픈 것에 화가 난 것이지만 나는 그 사실을 알지 못한다. 엄마가 병에 쉽게 걸려버린 나의 허약함을 혐오한다고 나는 생각한다. (14)

자녀를 향한 맥티어 부인의 헌신적인 보살핌이 있었지만 부모와 감정적으로 단절된 아이들은 대상으로서의 어머니를 향해 적절한 투사를 하지 못한다. 클라인 학파의 비온Bion은 아이와 어머니간의 상호작용에서 '투사적 동일시'가 결정적인 요소라고 주장하였다. 아이는 자신의 고통을 어머니에게 투사함으로써 그 고통을 제거하려 하고, 어머니는 아이의 좌절과 고통을 담아 주고 유아가 감당할 수 있는 것으로 바꾸어 유아에게 돌려줌으로써 유아의 정신건강에 결정적인 역할을 한다. 비온은 어머니가 아이의 불안과 고통을 담아내지 못한다면 아이는 현실을 '부인'하고 극단적일 경우 정신병을 유발한다고 보았고, 클라인과 자신의 이론을 바탕으로 정신증적 사고과정을 설명한다. 따라서 어머니가 담아주는 사람으로서의 기능을 할 수 없다면, 유아는 좌절을 견딜 수 없고 사고를 발달시킬 수도 없다.

자녀의 감정을 담아내지 못하는 부모로 인해, 어린 두 소녀 프리다와 클라우디아는 부모와 감정적으로 교감하지 못하며, 더군다나 자신들의 나약함을 어른들에게 드러낼 엄두도 내지 못한다. 아이들의 질병과 그것으로 인한 고통은 그들의 부모가 짊어지고 가는 삶의 무게로부터 밀려나 중심부가 아닌 주변부에 놓이게 되는데, 자녀는 부모에게 보살핌과 보호의 대상이라기보다는 거추장스러운 존재가 되어버렸다. 아이들은 엄마가 자신들에게 내뱉는 말들이 깊은 상처로 남지만 그대로 받아들인다.

> 어른들은 우리와 대화를 나누지 않는다. 단지 우리에게 지시만 내릴 뿐이다. 그들은 정보는 주지 않는 채 명령만 내린다. 우리가 무언가에 걸려 비틀거리거나 넘어지면 우리를 힐끗 본다. 만약 우리가 무언가에 베이거나 멍이 들면 제정신이냐며 묻는다. 우리가 감기에 걸릴 때면 어른들은 우리의 부주의에 어처구니없다는 듯 고개를 가로젓는다. 어른들은 모두가 아프다면 어떤 일을 처리할 누군가를 어떻게 기대할 수 있겠느냐며 우리에게 반문한다. 우리는 아무런 대답도 하지 못한다. 우리의 병은 멸시와 상한 흑맥주와 우리의 마음을 둔하게 하는 피마자유로 치유된다. (12-13)

아이들은 힘든 삶에 지친 엄마가 자신들에게 던지는 염려와 질책 섞인 반응에 두려움을 느낄 뿐 다른 특별한 감정을 느끼지 못한 채, 위로받을 대상을 찾아 주변으로 시선을 돌린다. 아이들은 다름 아닌 매춘여성인 미스 마리Miss Marie의 얼굴에 스치는 외로움을 읽어내고 그 외로움이 자신의 모습과 닮았다고 느낀다. 교회 디니는 여자들은 몸 파는 그녀를 경계하고 보통 사람으로서는 저지를 수 없는 나쁜 악행들을 모두 그녀에게 쏟아 붓지만, 아이들이 그런 부정적 선입견으로 가득한 그녀에게서 외로움을 읽어내었다는 것은 아이들 또한 극히 외로운 상태임을 말해준다.

모리슨은 어린 흑인아이들이 이방인으로서 느끼는 외로움과 두려움으로부터 벗어나는 일반적인 방법을 순응의 과정으로 설명한다. 처음 단계에서 아이들은 자신과 다르거나 모두가 동경하는 대상에 대해 무자비한 폭력을 가하고, 그런 다음에는 그런 자신에 대해 수치심을 느끼고 숨을 도피처를 찾는다. 아이들이 자신들이 취할 수 있는 가장 안전한 도피처가 대상을 사랑하는 것이라는 것을 깨닫게 될 즈음, 숭배 또한 함께 배우게 된다. 이와 같은 순응과정이 미국사회의 결점을 강화함으로써 이들을 이방인으로 고착시킬 것이라는 사실은 자명하다. 이 순응의 과정은 피부색이 검지 않은 경우, 심지어 피부색이 밝은 혼혈의 경우에도 같은 양상을 보인다.

대학교수이자 작가인 코넬 웨스트Cornel West는 자신의 책 『인종 문제』(*Race Matter*, 2001)의 도입부분에서 랠프 엘리슨Ralph Ellison의 글 「흑인들이 없다면 미국은 어떤 모습일까?」("What America Would Be Like without Black," 1970)를 인용하여 백인을 정의하는 가장 단순한 방법을 소개하는데, 그 방법 중 하나는 흑인의 존재를 부정하고 이방인으로 취급하는 것이다. 따라서 신대륙으로 온 유럽이민자들이 '검둥이'nigger라는 비어를 사용하는 것만으로도 미국인으로의 귀속감을 느낄 수 있었다고 밝힌다(3). 이와 다를 바 없는 사회분위기 속에서, 클라우디아는 자신이 아직 어리기 때문에 전형적인 백인 아역 스타 셜리 템플Shirley Temple을 좋아하지 않는다고 스스로 생각한다. 그러나 이러한 생각이 자신을 이방인으로 만든다고 느끼면서 두려움을 느끼게 된다. 모리슨은 클라우디아가 셜리 템플에 대해 갖는 감정이 순수한 증오에서 세속적인 증오로 바뀐다고 말한다. 단지 그녀가 좋아하는 탭 댄서 보쟁글즈Bojangles가 셜리 템플과 함께 춤을 춘 것에서 비롯된 '순수한 증오'는 세상 모두가 좋아하는 것에 대해 반감을 느끼는 '진짜 증오'이자 '세속적인 증오'로 발전하게 된다.

> 프리다 언니와 피콜라보다 어렸던 나는 셜리 템플을 사랑하게 되는, 정신발달의 전환기에 아직 이르지 않았었다. 당시 내가 느낀 것은 전혀 오염되지 않은 증오였다. 그러나 내가 그 증오의 감정을 느끼기에 앞서 내 자신이 이방인처럼 느껴졌는데 그 느낌은 세상의 모든 셜리 템플들을 향한 증오보다 더 무서운 것이었다. (19)

스테파니 리는 클라우디아가 백인 인형에 대해 보여준 초기의 혐오감을 부모의 긍정적인 역할의 영향으로 설명한다. 피콜라가 백인성과 아름다움의 융합을 의심 없이 수용했던 것과는 달리, 클라우디아가 백인 인형을 향해 보인 혐오감은 자신에 대한 어느 정도의 자긍심의 표출이며, 그것은 안정적이고 사랑을 주는 부모로부터 비롯되었다고 말한다. 그러나 그는 클라우디아가 결국 사회에 더 지배적인 영향을 미치는 것들을 따르게 되고 백인 인형을 좋아하게 될 것이라고 말한다. 그녀의 몸과 얼굴이 전혀 반영되지 않은 것을 물론이고 그녀가 결코 될 수 없는 '푸른 눈을 가진 우상'blue-eyed icon으로서의 셜리 템플을 보면서 그녀는 "자신이 사회적으로 가치 없음"(she has no social value)을 자신도 모르는 사이에 배우게 된다는 것이다(Li 38).

그녀를 두렵게 만든 실체는 부모님으로부터 받은 크리스마스 선물에서 그 모습을 드러내지만, 그녀는 그 실체에 관해 물어볼 엄두를 내지 못하고 수동적으로 무기력한 모습을 보인다. 「백인의 시선 아래에 선 검은 몸」에서 심연숙은 백인 중심의 단일한 문화적 이미지가 교과서에 한정되지 않고 다른 문화적 매체를 통해 다른 인종, 다른 문화의 사람들에게도 정상적인 규범으로 내세워지고 있음을 지적한다. 그 지적에 따르면, 어린 여자아이들을 상대로 한 인형시장에서 생산, 유통되고 있는 금발머리에 푸른 눈의 인형은 백인 중심의 가치가 백인뿐 아니라 흑인에게도 규범이며 이상으로 심어진다(86). 맥티어 부인은 자녀들의 의사를 묻지 않은 채, 그들 또한 푸른 눈과 노란 머리카락 그리고 분홍색 피부의 인형을 좋아할 것이라고 확신한다. 어른들은 온 세상이 소중하게 여기는 것을 아이들에게 그대로 주입하고 아이들이 그것을 낯설어하거나 혹은 두려워하지 않도록 그 감각의 날을 한바탕의 야단법석으로 무디게 만든다. 아이들은 엄마에게 자신이 진정으로 가지고 싶은 것을 말할 기회를 제공받지 못하며, 어른들에게 말대꾸도, 말을 걸지도 못한다. 즉, 아이들은 어머니에게 "왜 푸른 눈과 노란 머리카락 그리고 분홍색 피부를 사랑해야하나요?"라고 질문하지 못한다. 보울비는 아이들의 감정이나 지각이 부인될 때 아이들이 겪게 되는 고통과 혼란에 대해 탐구하였다. 부모는 아이가 실제로 느끼는 감정을 인정해주어야 한다. 그렇지 않으면 아이는 자기가 경험한 내용이 사실이 아니라고 느끼면서 혼란에 빠진다. 아이는 이러한 혼란으로부터 벗어나기 위해 환경을 이해하고 자신의 행동을 유도해내는 틀로서의 '내적 작동모델'을 이용하여 양립할 수 없는 감정으로 처리하거나 또는 특정 감정이나 지각을 '나쁜' 자기의 일부로 여기고 배제한다(고메즈 266). 프리다와 클라우디아가 백인 중심적 가치에 대해 갖는 부정적인 감정이 부모에 의해 부정됨으로써 혼란스러운 상태에 놓이고 그 감정은 부당한 것으로 배제될 처지에 놓인다.

프리다와 클라우디아는 자신의 피부색이 편안하다고 느낄 만큼 당당하지만, 백인 인형을 예쁜 것으로 만드는 그 무엇에 대한 두려움과 부모의 노여움에 대한 두려움 때문에 감히 질문하지 못한다. 질문은 그 두려움의 내밀한 중핵을 건드린다. 헤겔Hegel과 막스Karl Marx의 이론을 정신분석에 접목한 슬라보예 지젝Slavoj Zizek에 따르면, 질문은 상대방이 대답할 수 없는 지점, 말이 결여하고 있는 지점, 주체가 무능력 상태로 노출되고 있는 지점을 겨냥한다. 따라서 질문은 직접적이고 통속적인 단언보다 훨씬 더 위협적이다. 또한 질문은 주체를 '이미 알고 있다고 가정된 자'의 위치에 놓음으로써, 주체로 하여금 설명이 불필요한 무엇에 대해 모르고 있는 상황에 처하거나 이미 알고 있다고 가정된 상황에 갑자기 내몰리게 함으로써 죄를 뒤집어쓰게 한다. 부모에게 질문하는 주체로서의 아이는 부모의 무능력과 결여를 포착하려 할 것이며, 아이에게 질문하는 주체로서의 부모는 아이에게 '이미 거기에'라는 환영을 씌움으로써, 알고 있다고 가정된 상황 속에서 아이는 무의식적 죄의식을 갖게 된다. 부모와 자식 간에 상호 대화가 원만하지 못한 맥티어 가족에게 있어서 쌍방이 아닌 일방적인 질문은 질문을 받는 부모의 무능력 또는 결여를 노출시키지 못하고 아이의 이데올로기적 죄의식만을 강화하는 역할을 한다(307).

어머니와 자식 간에 소통이 단절된 경우, 자녀에 대한 사랑이 아무리 강렬하고 각별하다할지라도 일방적인 감정의 표출은 아이들에게 두려움과 파괴적 성향의 폭력성을 유발한다. 모린이 브리드러브 부인의 경우처럼 영화에 빠져들어 '미국문화의 이상적인 세계'를 사들이는 것(Otten 13)과는 달리, 클라우디아는 인형분해의 충동과 함께 백인 소녀를 공격하고 싶은 충동을 느끼는데, 이 같은 그녀의 충동들이 같은 원인에 기인한다는 점과 폭력성을 띤다는 점에 주목할 필요가 있다. 클라우디아는 셜리 템플 인형 자체가 싫은 것이 아니다. 엄마의 어린 시절, 간절히 갖기를 원했지만 갖지 못했던 인형에 대한 엄마의 과도한 동경을 여과 없이 수용해야 한다는 사실에 그녀는 단지 두려움을 느낄 뿐이다. 자신이 인형을 분해한 것에 대한 어른들의 노여움이 너무 강해서, 어른들이 그간 보여 왔던 권위적 냉정함을 지워버릴 정도였다고 클라우디아는 말한다. 그녀가 인형분해를 넘어 백인 소녀에게도 같은 충동을 느끼고 있다는 것을 엄마는 전혀 읽어내지 못한다. 한 가지 사건이 일어나면 또 다른 사건을 연결해가며 토해내는 어머니의 화난 독백만이 있을 뿐이다. 이 같은 기억들이 자신들을 오그라들게 하고 고통스럽게 만들었다고 아이들은 기억한다.

맥티어 부부가 아이들의 문제에 애정을 갖고 깊이 관여한다 하더라도 정작 아이들이 고통스러워하는 지점을 감지하지 못하고 적절한 조치를 하지 못하는 경우가 많다. 어느 봄날, 어머니 맥티어 부인과 아이들과의 감정적 단절을 재확인시키는 사건이 발생한다. 프리다와 클라우디아의 집에 세 들어 사는 헨리Mr. Henry가 집에 혼자 있던 프리다의 가슴을 만지면서 성추행을 시도했고, 이 상황으로부터 도망쳐 나온 프리다가 부모에게 이 사실을 알린다. 현관으로 들어선 프리다의 아빠는 낡은 세발자전거를 헨리에게 던져 그를 쓰러뜨렸고 엄마는 변명하는 그를 빗자루로 때리며 소리를 질렀다. 이 같은 소란에 총을 들고 나온 이웃으로부터 총을 건네받은 아빠는 헨리를 향해 총을 쏘았고 헨리는 양말만 신은 채 줄행랑을 친다. 딸의 성추행 사건에 분노하면서 가해자를 응징하는 부모의 모습에도 불구하고, 두 자매의 대화 속에는 어머니가 자신의 불미스러운 일을 감싸주지 않을 것이라는 사실과 그것에 대한 책임을 피해자인 프리다에게 전가할 것이라는 불신이 드러난다. 프리다는 아빠가 감옥에 갈 것이라고 말하는 혼혈 소녀 로즈마리를 세게 때려주었다고 동생 클라우디아에게 말한다.

> "정말 세게?"
> "정밀 세게."
> "엄마한테 맞고 나서 그런 거야?"
> "그럼 왜 울어?"
> "모두가 차분해진 후 두니언 양이 왔어. 엄마와 아빠는 누가 헨리 씨를 들였는지에 대해 불평을 늘어놓고 있었지. 두니언 양은 내가 몸을 버렸을 수도 있으니 병원에 데리고 가야 한다고 말했어. 그러자 엄마는 다시 마구 소리를 지르셨어."
> "언니에게?"
> "아니. 두니언 양한테."
> "그런데 왜 울고 있어?"
> "난 몸을 버리고 싶지 않아!"
> "버리는 게 뭔데?"
> "너도 알잖아. 마지노 라인처럼. 그녀는 몸을 버렸어. 엄마가 그렇게 말했어." (80-81)

두 자매의 대화 속에서 우리는 어머니가 아이들에게 보여야할 감정적 지지에 대한 아이들의 불신을 읽어낼 수 있으며, 동시에 아이들이 어른들의 사소한 말 한마디에 크게 의존하여 상상하고 그것을 근거로 판단하고 행동한다는 것을 알 수 있다. 클라우디아는 어머니가 언니 프리다를 때리고 그녀에게 소리를 질렀을 것이라고 확신하고 있으며, 프리다는 어머니로부터 어떠한 위로도 듣지 못한 채 부모들의 싸우는 소리를 들어야 했다. 그녀는 '몸을 버린다'는 말의 의미조차 알지 못한다. 어른들이 매춘여성인 마지노 라인을 향해 몸을 망쳤다고 했던 소리를 떠올리면서 뚱뚱해지고 싶지 않다고 울음을 터뜨린다. 그런 다음 '위스키가 그들을 갉아 먹는다'고 말하던 어머니의 말을 떠올리고는 뚱뚱하지 않을 수 있다고 엉뚱한 답을 도출해낸다. 그리고 늘 취해 있는 촐리를 생각해내고 위스키를 구하기 위해 피콜라의 집으로 엄마의 눈을 피해가며 집을 나선다. 이들의 판단은 어머니가 했던 과거의 사소한 말 한마디에 의해 크게 영향을 받지만, 소통의 단절로 인해 어머니로부터 실질적인 도움을 받지는 못한다. 인종의식이 개입되지 않은 상황인 것은 물론이거니와 부모의 촉각이 아이들에게 집중되어 있는 상황임에도 불구하고, 흑인 부모 자신들이 인식조차 못하는 그들의 무력함이 아이들에게 결정적인 영향력으로 부각된다.

『가장 푸른 눈』(1970)을 출판한지 3년 후, 『술라』(1973)를 발표한 시점에서 모리슨은 『뉴욕 타임스』(*The New York Times*)에 무비판적 인종의식에 대한 염려를 담은 글을 기고한다. 그녀는 무지하고 잘못된 인종의식을 가진 백인과 그것을 무비판적으로 수용하는 흑인들의 모습을 지켜보면서, 그 속에서 성장할 어린 자녀들에 대한 염려와 당부의 필요성을 깊이 느끼고 있는 듯하다. 모리슨은 이 기고문을 통해 "수치심과 현실 사이에 존재하는 납득할 만한 구분"(the normal lines of communication between shame and reality)이 이미 깨져버렸다고 말한다. 그리고 그녀는 오래된 분노의 무게뿐 아니라 새로운 것을 담을 수 없는 무력함으로 인해 극도로 지쳐 있다고 말한다. 그리고 그녀의 촉각을 지치게 하는 몇몇 사례들을 비판적 시선으로 언급하면서, 자신과 가장 밀착된 사례를 통해서 자신의 메시지를 전한다. 한 백인 소년이 자신의 아들에게 흑인이라는 이유로 침을 뱉고 비난했던 사건과 그 일이 있는 지 9년이 지난 후, 이제는 자신의 아들이 흑인답지 못하다는 이유로 한 백인 소년으로부터 비난을 받았던 사건을 언급한다. 그녀는 혼돈스러워 하는 아들에게 "백인들이 너를 정의하도록 내버려 두어서는 안 되며, 백인들을 기쁘게 하려고 애쓰지도 말라"(Please don't let them define you. Please don't try to please them)고 충고한다. 그리고 "백인들이 너에게 원하는 것이 무엇이든 간에 그들 자신을 위한 것이지 너를 위한 것이 아니다"(Whatever they want you to be, chances are they want it for themselves, not for you)라고 아들에게 일러준다(*The New York Times*, Oct. 20, 1973).

대신 모리슨은 바람직한 모성의 사례로 많은 학자들로부터 주목을 받아온 맥티어 부인의 모습이 실제로는 소통이 부재된 모성임을 보이면서, 평범한 흑인 가정이 결여하고 있는 지점을 지적한다.

미국 사회에서 흑인으로 살아간다는 것은 불모지에 깊이 심어 놓은 메마른 씨앗이 싹을 틔우는 것과도 같이 힘겨워 보인다. 클라우디아와 프리다가 자신들의 소망을 담아 심은 씨앗에서 싹이 트지 않자 서로를 탓하며 다툼으로써 죄책감을 덜어보려고 하였듯이, 흑인들 간의 반목이 그들이 직면한 척박한 현실의 핵을 흐리게 하여 일시적으로 죄책감을 가릴 수는 있으나 근본적인 "왜"라는 질문에 대해서는 해답을 이끌어내지 못한다. 모리슨은 흑인들의 삶의 내면을 냉철하게 분석하는 '어떻게'를 통해서 해답을 모색한다. 그녀는 『가장 푸른 눈』의 도입부에 금잔화가 피지 않아 자책하고 죄책감을 서로에게 전가하는 두 자매의 모습을 배치한다.

> 피콜라의 아버지가 그의 씨앗들을 검은 흙이라는 그 자신의 작은 땅에 떨어뜨렸던 것처럼 우리도 검은 흙으로 덮인 작은 땅에 우리가 가진 씨앗을 떨어뜨렸다. 우리의 순수와 믿음은 피콜라의 아버지가 지녔던 욕정내지 절망보다 더 생산적이지 못했다. 지금 분명한 것은 희망, 두려움, 욕정, 사랑 그리고 슬픔 이 모든 것 중에 피콜라와 불모의 땅만 남았다

> 는 것이다. [. . .] '왜'라는 말을 빼고는 아무런 할 말이 없다. 하지만 '왜'라는 질문을 처리한다는 것이 어렵기 때문에 '어떻게'라는 질문에서 피난처를 구해야한다. (9)

클라우디아와 언니 프리다는 자신들이 심은 씨앗에서 싹이 나오지 않는 근본적인 이유가 그 땅이 불모지이기 때문이라는 사실을 알지 못한다. 그들은 서로에게 잘못을 미루며 싸우는 분쟁 속에서 이유 모를 죄책감을 덜 수 있었고, 불모지에 둥지를 둔 생명은 모두 죽었거나 그 생명력을 잃었다는 사실에 '왜'라는 질문을 해보지만 해답을 찾지 못하고 '어떻게'라는 질문으로 전향한다. 인종차별이라는 척박한 환경에 내던져진 흑인 아이들에게 있어서 어머니의 사랑과 보살핌은 생명선과도 같다. 여기서 다루게 될 브리드러브 부인의 모성은 모리슨이 『비러브드』(*Beloved*, 1987)에서 실화를 바탕으로 그려낸 모성, 즉 노예이던 엄마 세스Sethe가 노예의 삶을 자식에게 대물림하지 않기 위해 날카로운 날로 딸아이의 목을 긋는 모성과는 근본적으로 다르다. 브리드러브 부인은 자기 자신은 물론 딸 피콜라를 사랑하지 않는다. 그녀의 부재한 모성의 '어떻게'를 추적하는 과정은 '왜'라는 질문의 실마리를 찾아가는 과정이기도 하다.

피콜라는 어느 누구로부터 사랑을 받은 적이 없으며, 모성을 느끼게 해준 어머니에 대한 경험 또한 없다. 피콜라가 초경을 치르고 아이를 가질 수 있게 되었다는 경이감에 모두가 들떠있을 때, 정작 피콜라는 "어떻게 그렇게 할 수 있지? 내 말은 어떻게 해야 너를 사랑해줄 누군가를 가질 수 있지?"(29)라고 질문한다. 메던 마이너Madonne M. Miner는 피콜라에게 있어서 사랑은 일상의 경험이 아닌 "일어날 가능성이 있는 기적과 같은 현상"이다 (96).

이 같은 그녀의 질문에서 알 수 있듯이, 어머니와의 거리감은 어머니를 부르는 아이들의 호칭에서도 뚜렷하게 드러난다. 피콜라와 그녀의 오빠 새미Sammy는 자신들의 어머니를 브리드러브 부인Mrs. Breedlove이라고 부른다. 피콜라를 임신하고 출산했을 당시, 그녀는 지금과 마찬가지로 가난하였고 어린 두 아이의 양육에 지친 상태여서 아이들을 향해 고함도 치고 때리기도 했다. 그러나 브리드러브 부인의 과거 회상을 되짚어 보면, 그녀도 한때 아이들에 대한 소박한 애정을 가지고 있었고 자신이 아이들에게 폭력을 행사하는 것에 대해 미안한 마음도 가지고 있었다는 사실을 알 수 있다.

> 나는 애들 모두를 사랑했어. 그러나 짐작컨대 돈이 없어서였거나 아니면 아마도 촐리 때문이었는지 아이들은 나에게 정말로 성가시게 굴었지. 때론 아이들에게 고함치고 때리는 나 자신을 발견하고는 아이들에게 미안한 마음이 들었지만, 멈출 수가 없었지. 내가 두 번째 딸아이를 가졌을 때, 그 애가 어떻게 생겼든 사랑할 거라고 말한 것이 기억나. 그 아이는 까만 털 뭉치 같았지. [. . .] 나는 뱃속의 대화를 나누곤 했지. 우리는 친한 친구 같았어. 정말이야. 빨래를 널고 들어 올리는 것은 아이를 불편하게 했지. 나는 몇 벌만 더 널면 된다고 개구리 마냥 뛰지 말고 멈추라고 말하곤 했지. 아이는 뛰던 것을 곧 멈추고 잠잠해졌지. 큰 아이에게 먹일 무언가를 그릇에 넣고 반죽할 때에도 나는 뱃속의 아이와 대화를 했어. 그것도 아주 다정한 말로. 아기의 기분이 좋아졌다고 내가 느낄 때까지 내내. (98)

그녀의 회상을 통해 알 수 있듯이, 뱃속의 아이와 소통하던 그녀는 점차 변해갔고 아이에 대한 생각도 함께 변해갔다. 제이 브룩스 바우슨J. Brooks Bouson은 모리슨이 흑인 공동체 내에서의 계급간의 긴장과 구분을 연구하고 피부색에 따른 위계질서라는 민감한 문제들을 소설 작품들을 통해 다루고 있음을 언급하였는데(4), 브리드러브 부인의 변화는 이들 문제들과 깊은 관련성을 가지고 있다. 태어난 아이를 받아 안은 브리드러브 부인의 반응은 "저런, 얘는 못생겼어"(100)였다. 피콜라는 선생님과 친구들, 그리고 이웃과 주변 사람들로부터 바로잡을 수 없을 정도로 너무나 강한 거부를 감지하는데, 그것에 대해 트루디어 해리스Trudier Harris는 그녀의 출생 시 어머니가 내린 결론이 그들에 의해 다시 비춰진 것이라고 말한다(21). 이금만은 「놀이를 통한 창조적 자기 형성 교육」에서 아기가 양육자로부터 좋은 환경을 제공받을 때, 신체와 정신의 통합이 가능하다고 주장한다. 그 주장에 따르면, 아기를 안을 때 신체뿐 아니라 정신까지도 안아 준다는 인식이 필요하며, 만일 아이가 못생기거나 불구일 때 아이를 안아 주는 엄마가 그것을 부끄러워하거나 죄의식과 절망 속에서 안으면 아기의 신체발달에 장애가 생긴다(252). 모리슨은 브리드러브 부인이 피콜라를 임신한 후 줄곧 영화관에서 시간을 보내면서 아름다움과 추함에 대한 백인들의 가치에 대한 교육을 받아들였음을 보여주면서, 그 교육이 여성에 대한 남성의, 그리고 흑인에 대한 백인의 또 다른 폭력이라는 점을 알리고자 한다(Miner 95). 그리고 해리스는 피콜라의 불행이 검다는 것은 가치가 없거나 아름다운 것이 아니라는 브리드러브 가족의 믿음이 흑인 문화에 대한 믿음으로 작품에 구현된 산파 엠디어에 대한 절대적 신뢰만큼이나 강하다고 말한다(18). 글로리아 네일러Gloria Naylor와의 대화(1985)에서 모리슨은 미국에서 흑인 소녀로 살아간다는 것이 쉽지 않으며 심리적인 기교를 사용하지 않는 한 극복해내기 어렵다고 말한다. 흑인 소녀로 대표되는 '너'는 그들이 바라보는 바로 그 사람이 아니라는 사실을 알고 있으며 그들의 눈에서 '너'가 보았던 것을 본다는 것이 대단히 파괴적이라고 말한다(198).

자신이 낳은 아이를 못생겼다고 말할 수 있는 브리드러브 부인의 모성은 매춘여성과 비교되는 외적 수모를 겪게 하는 것은 물론, 질적인 비교에 있어서 더더욱 참담한 결과에 직면하게 된다. 피콜라는 어머니 브리드러브 부인이 아버지 촐리에 대해 '그 알량한 자존심을 뭉갤 수 있게' 도와달라고 신에게 간청하는 소리(37)를 늘 들어왔다. 이 소리는 흑인공동체의 아웃사이더인 세 명의 매춘여성들이 피콜라를 대할 때면 늘 그녀를 부르던 사랑스런 호칭, 또는 피콜라의 부족함을 바라보며 던지는 그들의 유쾌한 농담과는 다른 소리이다. 사무엘스와 허드슨-윔즈는 마리Miss Marie가 브리드러브 부인으로부터 내쳐진 아이에게 모성적 관심을 보이며, 그녀가 피콜라를 부르는 곱창, 닭고기, 꿀과 같은 호칭들은 피콜라를 향한 다정함의 표시이며, 그녀의 생각 속에 늘 최고라고 여겨온 메뉴나 음식들로부터 선택되어진 애정 가득한 것들이라고 말한다(21). 브리드러브 부인과는 달리, 피콜라를 향한 그녀들의 소리에는 경멸과 모멸감이 실려 있지 않다. 모리슨은 지저분하고 경우 없는 여느 매춘여성들에 대해 묘사하면서 이들 세 명의 매춘여성들이 보통의 매춘여성들과 다르다고 말한다(47). 보통의 '덜 떨어진' 매춘여성들은 자기 자신과 가족의 불행을 더하기 위해 생존을 고집하는 여성들이며, 그들의 모습 속에 브리드러브 부인의 모습이 고스란히 자리한다.

> 세 명의 여자는 단정하지 못하고 무능한 매춘여성들과는 다르다. 보통의 매춘부들은 몸을 파는 일만으로는 생계를 꾸릴 수 없어서 마약 밀거래나 포주 노릇을 경험하면서 자기 파멸의 음모를 완성하며, 아버지의 부재에 대한 복수심에서, 혹은 침묵하고 있는 어머니의 불행을 지속하기 위해서 오직 자살을 피하고 있는 그런 존재들이다. (47)

모리슨의 '지저분하고 경우 없는 매춘여성'에 대한 언급은 작품 속 세 명의 매춘여성을 향한 것이 아니라 브리드러브 부인을 향한다. 사무엘스와 허드슨-윔즈는 차이나China, 폴란드Poland 그리고 미스 마리Miss Marie라고 불리는 이들 세 매춘여성의 도덕성을 문제 삼기보다는 이들 여성들의 강점에 주목한다(20). 이들의 주장에 따르면, 비록 이들 세 여성들의 삶은 비인습적이지만, 자신의 일을 조절할 수 있는 독자성을 가지고 있기 때문에 이들의 삶은 독립적이고 자기 의존적이다. 또한 이들 세 매춘여성들은 감정의 찌꺼기를 아무런 거리낌 없이 자신이나 아이들에게 던져 넣은 제럴딘, 맥티어 부인 그리고 브리드러브 부인보다 충족된 삶을 살고 있을 뿐 아니라, 이들 여성들의 분노와 미움의 감정은 자기 자신을 겨냥하지 않기 때문에 창조적인 힘으로 발휘될 수 있다고 말한다(Samuels & Hudson-Weems 20). 이들 세 매춘여성들은 자기 자신뿐 아니라 어리고 약한 피콜라를 경멸의 대상으로 삼지도 않았으며, 그래서인지 피콜라는 이들과 함께 있을 때 편안함을 느낀다. 이들은 자기 자신을 자살행위의 대상으로 삼거나 자신의 아버지나 어머니를 겨냥하여 책임을 전가하지 않는다. 반면, 브리드러브 부인은 분노와 미움의 감정을 자신에게 돌렸으며, 희생양을 포착하면 그 포착된 약한 대상을 겨냥한다. 이러한 그녀의 습성은 그녀의 성장 배경과 밀착되어 있으며, 고스란히 자신의 현실과 삶과 자녀양육에 그대로 적용된다.

브리드러브 부인의 성장과정은 자신이 "혼자라는 느낌과 쓸데없는 존재"(88)라고 여기는 존재감의 결여로 요약될 수 있다. 알라바마Alabama의 오지 산골에서 열한 명의 아이들 중 아홉 번째로 태어난 브리드러브 부인은 두 살이 되던 해에 녹슨 못에 발을 다쳤고, 이것은 별명 하나 없이 가족의 무관심을 견뎌야했던 그녀의 어린 시절을 이해하는 데 결정적인 역할을 한다. 해리스는 많은 학자들이 흑인 사회에서 별명이 지니는 대단한 가치에 집중해왔음을 언급하면서, 그 결점으로 인해 별명이 없었다고 믿는 브리드러브 부인이 그녀에게 폴리Polly라는 별명을 부가한 백인 가정에 충성하면서 그것과 비슷한 필요에 놓여있는 딸을 돌보는 일에는 실패한다고 지적한다(20). 그녀가 심하게 다리를 절었던 것은 아니었지만, 그녀는 자신이 겪는 무력감과 무가치함을 전가할 나약한 대상을 찾았고, 결국 그 모든 원인이 발 때문인 것으로 결론짓는다. 이러한 습성은 촐리와 결혼하여 제철소가 즐비한 북부 오하이오 주의 로레인Lorain, Ohio에 정착한 이후에도 계속된다. 그녀는 겉모습으로 평가하는 도시의 흑인 부인네들 사이에서 늘 이방인 취급을 받았고 자신을 향한 모든 분노와 미움이 자신의 추함 때문이라고 믿어버린다. 그녀는 자신의 소신 있는 판단을 버리고 다른 부인네들의 평가를 자신의 것으로 받아들이면서 도시생활의 겉모습만을 취하기 시작했다. 주위의 시선을 의식한 그녀는 새 옷을 사고픈 마음에 날품을 팔아 돈을 벌기 시작한다. 자신만 가난한 것이 아니었을 뿐 아니라 그 돈으로 인해 촐리와 잦은 싸움이 생겨났음에도 불구하고, 브리드러브 부인은 가정의 평안보다는 돈과 타인으로부터의 인정을 더 우선시 한다. 그녀에게 있어서 돈은 신이 주신 추한 외투를 벗고 자신을 가릴 수 있는 외투로 갈아입을 수 있는 하나의 중요한 수단이다. 그녀가 자신의 처지로부터 도피하기 위해 선택한 또 다른 방법은 영화 속 인물과 삶에 빠져드는 것이다. 자신의 여자를 자상하게 살피는 백인 남성의 모습과 잘 갖추어진 깨끗한 집, 그리고 근사하게 차려입은 사람들, 그런 백인 중산층 가정의 모습을 통해 그녀는 "중심의 상실"(the loss of center, Samuels & Hudson-Weems 26) 상태로 전락하고, 절대미의 기준에 집착함으로써 자기혐오에 젖어든다. 이강선은 브리드러브 부인이 주변의 다른 흑인들을 보면서 예전의 자신을 팽개치고 새로운 가치관에 적응해가는 과정인 영적인 죽음을 겪으면서 '악마화' 되어가는 정신의 식민과정이라고 말하고, 그 과정을 사회 심리학자인 쿨리Cooley의

"거울 자아론"looking glass-self으로 설명하는데, 거울 자아론에 따르면 사회 구성원 상호간의 교류에 의해서, 또는 다른 사람의 인식에 의해서 한 사람의 사회적 자아가 형성된다고 한다(245).

타인에 의해 자신에 대한 상image을 갖게 된다는 점에서 거울 자아론은 자기표상 개념과 맥을 같이 한다. 자기 표상이란 나는 중요한 사람이나 대상의 관계 속에서 경험되는 자신의 심리적인 느낌이다(최영민 254). 브리드러브 부인은 좌절과 소외라는 부정적인 내적 자기표상을 가지고 있으며, 그것은 어린 시절 가난하고 무책임한 부모로부터 아무런 관심과 보호를 받지 못했던 것에 기인한다. 게다가 백인들 못지않게 그녀를 무시하는 북부 흑인들 속에서 추하고 촌스러운 자기표상을 내면화한다. 불구인 자신의 발에 입맞춤하고 그녀가 약점이 없는 듯 대하는 촐리를 통해, 한때나마 그녀는 긍정적인 자기표상을 가질 수 있었다. 그러나 도시의 삶에 익숙해져가던 촐리는 변하기 시작했고 낯선 도시의 삶에 홀로 남겨진 브리드러브 부인은 영화와 대비된 자신의 추함에 굴복하고 타자의 시선으로부터 인정받고자 하는 일에만 집중한다. 그녀는 새미와 피콜라가 엄마의 보살핌을 필요로 함에도 불구하고 백인 가정에서 가정부로 일을 한다. 그러나 가족의 생계를 염려하며 시작한 일의 중심이 타자로부터의 인정으로 대치되면서 모성부재의 양상으로 발전한다. 이강선은 브리드러브 부부가 성장과정에서 겪은 소외와 버림이라는 개인적인 트라우마와 인종적 굴욕이라는 인종적 트라우마로 인해 신뢰할 수도 없고 안전하지도 않은 양육자가 되었으며, 제대로 된 인간관계를 배울 수 없었던 새미와 피콜라에게 수치심만을 전가하는 양육자가 되었다고 말한다(242).

'사랑을 양육한다'는 의미의 이름을 가진 브리드러브Breedlove 부인이 아이러니하게도 피셔 가The Fishers의 부엌에서 프리다와 클라우디아가 지켜보는 가운데 피콜라에게 폭력을 가한 사건은, 자식이 처한 위기를 모면하고자 취한 모성적 보호본능에 뿌리를 두고 있지 않다. 강자와 약자관계에서, 특히 백인과 흑인의 관계에서 약자의 위치에 처한 모성은 특정 사건으로 인해 자신의 자녀가 큰 불이익을 당할 경우를 사전에 막기 위해 자식을 더 엄하고 가혹하게 대하거나, 강자에게 굴종적인 모습을 보임으로써 위기의 순간을 모면하는데, 브리드러브 부인이 피콜라를 폭행한 사건은 모성애적 임기응변 사례들과는 전혀 다르다. 브리드러브 부인이 부엌을 잠시 비운 사이, 피콜라는 조리대 위에서 흘러넘치는 블루베리 코블라 냄비를 발견한다. 그것을 바로 세우려던 그녀의 의도와는 달리, 그 뜨거운 내용물이 바닥으로 쏟아지면서 많은 양이 피콜라의 다리에 튀는 사고가 발생한다. 피콜라는 심한 고통으로 비명을 질렀지만 브리드러브 부인은 프리다와 클라우디아가 겁에 질려 뒷걸음 칠 정도로 피콜라에게 심한 폭력과 경멸을 쏟아 붓는다.

> 한 걸음으로 피콜라에게 바짝 다가선 브리드러브 부인은 손등으로 피콜라를 때려 그녀를 마룻바닥에 쓰러뜨린다. 피콜라는 블루베리 즙 때문에 미끄러져 한 쪽 다리를 깔고 앉는다. 브리드러브 부인은 피콜라의 팔을 획 잡아당겨서는 그녀를 다시 때렸다. 그리고 분노에 찬 가느다란 목소리로 피콜라에게는 직접적으로 그리고 프리다와 나에게는 넌짓 욕을 해댄다. "넋 빠진 바보... 내 바닥.... 엉망진창.... 네가 한 짓을 봐.... 일을... 겨우.... 끝났는데.... 이제 와서... 미친.... 내 마룻바닥.... 내 마룻바닥...." (87)

브리드러브 부인은 어느 누구의 설명도 들으려고 하지 않은 채, 피콜라가 사고를 쳤을 것이라는 심증만을 가지고 폭력을 행사한다. 프리다와 클라우디아가 함께 있던 상황에서 발생한 사건이고 피콜라가 다쳐 고통을 호소하는 상황이었지만, 그녀는 정황을 알려고 하지도, 피콜라의 고통에 관심을 보이지도 않는다. 그저 흐트러진 부엌바닥을 보고 피콜라를 향해 폭력과 폭언을 행사할 뿐이다. 그런 다음 백인 소녀에게 다가가 “쉬, 우리 아기, 쉬이, 괜이 이리 온. 오! 저런, 이 옷 좀 봐, 이제 울지 말아요. 폴리가 새 옷을 입혀줄게”(87)라고 상냥한 어투로 달랜다. 피콜라에게 보여준 행동과 대조적으로, 브리드러브 부인은 주인 집 아이가 겪었을, 사소하리만큼 작은 감정적 동요를 염려하는 세심한 배려를 아끼지 않는다. 브리드러브 부인의 이 같은 행동은 에릭 프롬Erich Fromm의 마조히즘masochism적 특성에 해당하는데, 이것은 무력감, 열등감에 빠진 개인이 자신을 왜소화해 어떤 강자나 권위에 의탁하려는 무조건적 복종의 자학증이다(이강선 247). 사무엘스와 허드슨-윔즈는 브리드러브 부인의 행동에 대한 여러 비평가들의 의견을 소개한다. 클로트만Klotman은 그녀의 행위가 “가장된 시각”에서 나온 것이라고 말하고, 해리스Trudier Harris와 에이드 게일즈Gloria Wade-Gayles는 그것이 플랜테이션 문학의 전통적인 흑인 엄마Black Mommy의 행동이며, 주인에 대한 감정이 자신의 가족에게 향해야 하는 감정을 초월한다고 지적한다. 그리고 해리스는 그녀가 자신의 직업에 너무나 감사한 나머지 굴종적일 수 있는 것이라고 주장한다(Samuels & Hudson-Weems 재인용 27). 브리드러브 부인은 자신의 현실에 대한 초라함과 두려움 그리고 분노를 전가할 희생양으로써 피콜라를 포착하며, 그것들은 수치심의 형태로 그녀에게 전달된다. 「『가장 푸른 눈』: 인종적 수치심의 전승 과정에 관한 고찰」에서 이강선은 존 브레드쇼John Bradshaw와 주디스 허먼Judith Herman의 트라우마 이론을 근거로 하여 브리드러브 가족의 인종적 수치심의 내면화 과정과 영향을 분석한다. 수치심은 정신적인 버림받음에서 비롯되는 것이며, 아이는 수치심을 내재한 부모로부터 그것을 물려받아 학습하게 된다. 비정상적인 부모는 아이가 밖에서 겪은 경험에 대한 판단, 위로, 지지를 결여하고 외면함으로써 아이로 하여금 자신의 존재자체를 수치스러워 하도록 만들어 우울증, 소외감 그리고 정신분열 등을 일으키게 한다(241). 중심을 상실한 채, 그녀는 자신의 가정과 자녀양육을 포기함으로써 얻게 된 힘에 매료된 것이다. 그녀는 백인 가정에서 하녀 일을 하는 것에서 즐거움을 찾았으며 자신의 생활은 잊은 채 주인의 가정 일에만 열중했고, 그 결과 지금껏 가져보지 못한 힘과 자부심을 마치 자신의 것인 것 마냥 행사한다.

> 개인적 일로 갔을 때 그녀에게 모욕을 주었던 빚쟁이들과 상점 종업원들은 피셔 가를 대신하는 그녀에 대해서는 존경심을 보였고 심지어 그녀에게 위협을 느끼기도 했다. 그녀는 색이 약간 칙칙하거나 손질이 조금만 덜 되어 있어도 소고기를 사지 않았다. 그녀 자신의 가족을 위해서라면 샀을 법한, 악취가 조금 나는 생선이 피셔 가로 배달될 경우 그녀는 그것을 생선 장수의 얼굴에 던져버렸다. 그 집에서는 권력과 칭찬, 그리고 사치가 그녀의 것이었다. 피셔 가 사람들은 심지어 그녀가 한 번도 가져보지 못한 '폴리'라는 애칭을 그녀에게 지어 주었다. (101)

그녀는 타고난 추한 외투를 벗고 백인 가정의 충직한 하녀의 앞치마를 입음으로써, 모성을 포기하고 흑인 유모를 자처함으로써, 그리고 푸른 눈을 가진 그들의 삶이 마치 완벽하게 정리된 영화 속의 삶처럼 흐트러지는 일이 없도록 함으로써 새로운 물적, 심적 안정과 권력을 얻게 된다. 웨이드 게일즈는 브리드러브 부인이 얻게 된 힘에 대해 긍정적으로 평가한다. 그는 피셔 가에서 그녀가 얻은 평화와 경제적 힘은 파괴적이라기보다 더 생산적이며, 잃었던 힘을 보상해준다고 주장한다(Wade-Gayles 재인용

27). 그러나 모리슨의 생각은 그와 전혀 다르다. 자신의 모든 저서 중 『빌러브드』(1987)가 가장 적게 읽힌 책이라고 소개하는 모리슨은 그 이유에 대해 백인들은 물론 흑인들 모두가 기억하고 싶지 않은 '무엇' 때문이라고 말한다. 그녀는 그 무언가를 모두가 잊고자 하는 것에 대해 "국가적 망각"national amnesia이라고 말하는데(Angelo 257), 이것은 지금껏 백인들의 망각에만 비난의 화살을 겨누었던 것과는 달리, 흑인의 자각을 요구한 것이라고 할 수 있다. 『흑인 페미니즘 사상』의 저자 콜린스 또한 흑인 가사노동자들이 자신이 일하는 집에서는 백인에게 존경심을 보이는 척 처신하지만, 집에 와서 자녀에게는 백인을 존경해야 한다고 믿어서는 안 되며, 커서 가사노동을 해서도 안 된다고 가르친다고 주장한다(『흑인 페미니즘 사상』 138). 브리드러브 부인의 행동은 모두가 잊고 싶은 그 무엇인가를 끄집어내어 스스로 노예이기를 자처한 행동이라고 할 수 있다. 백인 가정에서 일함으로써 경제력과 그것으로부터 생겨나는 힘을 경험한 그녀는 이제 실질적인 가장이 되었고 '그녀만의 어머니 역할'을 성실히 수행한다. 아이들의 작은 실수에 대해 벌을 주었고 아버지의 잘못을 꼬집으며 본받지 않도록 훈계하였으며, 아버지처럼 형편없는 인간이 되는 것에 대한 두려움 또한 심어주었다. 그녀의 지배적인 형태의 모성으로 인해 새미는 가족과 집으로부터 도망치고 싶은 충동을 느꼈으며, 피콜라는 자신과 타인에 대한 두려움 때문에 세상과 소통할 문을 닫아걸고 자신만의 세계에 갇히는 상황으로 내몰린다.

자신만의 방식으로 어머니 역할을 수행했음에도 불구하고 브리드러브 부인은 피콜라와 감정적 단절을 초래했다. 그리고 이러한 감정적인 단절은 아버지와 어머니의 싸움을 지켜보는 피콜라의 마음이 어디로 향하는가에서 단적으로 나타난다. 이들의 전투는 늘 촐리의 절망과 방탕함 그리고 폭력에 기인하지만, 그것을 지켜보는 피콜라의 마음은 아버지인 촐리에게 더 관대하다. 마이너는 피콜라가 아빠 촐리에게 성폭행을 당한 후 브리드러브 부인이 보여준 태도에 주목하는데, 그는 피콜라가 "시도된 의사소통의 헛수고"(the futility of attempted communication)를 인식하게 된다고 말한다. 피콜라는 어머니에게 모든 사실을 이야기하지만 그녀는 피콜라의 말을 들으려고도 믿으려고도 하지 않았고, 이 같은 브리드러브 부인의 반응은 촐리로 하여금 두 번째 성폭행을 저지르는 것을 가능하게 했다. 두 번째 성폭행 후 그녀는 침묵의 세계로 빠져들어 결국 광기에 이르게 된다("Lady No Sings the Blues" 89). 피콜라의 무의식 속에는 자신에게 무자비한 폭력을 행사하는 어머니의 모습이 각인되어 있어서, 근친상간의 직접적인 가해자인 아버지보다 징벌자로서의 어머니를 더 두려워한다.

클라인의 '환상' 개념은 어린 새미와 피콜라가 자신들이 감당할 수 없는 두려움에 직면했을 때 그것과 어떻게 관계하는가를 설명해주며, 그것을 통해 새미의 부재와 피콜라의 광기를 예측가능하게 한다. 그는 프로이트의 환상fantasy[3]과는 다른 무의식적 환상phantasy 개념을 정교화 한다. 그 이론에 따르면, 유아는 계통발생학적으로 무의식적인 환상의 이미지들과 지식들의 저장소를 갖고 태어나며, 그 저장소로부터 환상이 펼쳐진다고 말한다. 그리고 그 환상을 통해 유아는 전체 세계와 관계한다(최영민 286). 촐리와 브리드러브 부인의 싸움을 지켜보던 새미는 그 둘의 싸움에 끼어들어 두 주먹으로 아버지를 때리며 "이 벌거벗은 불한당 .... 죽어 버려요! 죽어요!"(You naked fuck .... Kill him! Kill him 38-39)라고 소리를 지른다. 새미가 촐리에 대해 가지는 무의식적 환상은 가장인 어머니에게 위해를 가

3) 유아는 직접적인 만족을 얻을 수 없을 때 환상을 통해 만족을 얻는다는 점에서 환상은 욕동좌절에 대한 특정한 의식적인 보상이며, 이것에 대해 프로이트는 좌절의 결과 환상을 갖게 된다고 말한다.

하고 가정을 파괴하는 존재인 것이다. 방심하는 사이 자신 또한 파괴될 수 있다는 공포감 때문에 그는 이미 이십여 차례 가출을 했고, 가출의 욕구는 브리드러브 부인의 '부적절한 어머니로서의 역할' 수행에 의해 계속 부추겨진다. 어린 피콜라의 경우 새미와는 조금 다른 양상으로 나타난다. 징벌자로서의 어머니가 모든 싸움의 원인 제공자인 아버지를 죽일 수도 있다는 두려움 속에서 자신이 사라지기만을 기도한다. 이들에 대한 피콜라의 무의식적 환상은 아무리 애를 써도 어쩔 수 없는 '추한 눈'과 같은 존재이다. 추한 자들이 머물 수밖에 없는 유일한 장소로서의 가족 안에서 피콜라는 자신의 세계로 숨어든다. 대상관계이론을 적용한 정신분열병 환자의 임상분석사례를 통해 우리는 무의식적 환상이 언어로 표현되는 과정에서 공포가 사라지는 현상을 확인할 수 있는데, 이 점에서 볼 때 피콜라는 대상과 갖는 '부정적이고 공격적인 환상'의 관계에 갇혀 언어 표현의 의지를 상실하고 그 기회로부터 차단됨으로써 광기로 내몰리는 상황에 처하게 된다는 것을 알 수 있다. 마이너는 "피콜라는 푸른 눈에 갇혀 자기 자신과만 대화를 나누는 '정신분열을 앓는 어린 소녀'가 된다"고 지적한다(97). 「자연주의를 넘어서: 토니 모리슨의 『가장 푸른 눈』을 중심으로」에서 임진희는 "어떻게 사람들의 사랑을 얻을 수 있는가"(29)를 부단히 질문해온 피콜라가 푸른 눈을 욕망하는 것은 시도임에도 불구하고, 그녀의 사고체계로서는 논리적인 결론이라고 말한다(96). 그만큼 피콜라가 극단적 소외상황에 처했음을 주장하는 것이다.

브리드러브 부인 방식의 어머니 역할 수행은 피콜라로 하여금 선생님과 친구들이 왜 자신을 무시하고 경멸하는지, 왜 자신에게는 짝이 없는지를 깨닫게 하고 그녀를 더욱 두렵게 만든다. 피콜라가 푸른 눈을 원하는 것은 엄마의 사랑을 갈구하는 것이지만, 브리드러브 부인이 백인 중심의 지배문화에 잠식된 이상 피콜라에게 있어서 엄마의 사랑을 기대하기란 어렵다. 가장 친밀해야할 부모로부터 무관심과 학대를 받은 피콜라는 관계맺기에 있어서, 또래 아이들은 물론 다른 사람과 친밀해지는 것에 대해 두려움을 갖고 있기 때문에 소극적이며 늘 혼자이다. 반면, 피콜라가 다니는 학교로 새로 전학 온 혼혈소녀 모린Maureen은 같은 반 친구들은 물론 선생님들로부터 특별한 대우를 받는다. 밝은 피부색을 띤 부유한 가정의 모린은 백인 소년들은 물론 흑인 소녀들로부터 괴롭힘을 당하지 않으며, 함께 점심을 먹을 친구를 찾을 필요가 없는 동경의 대상이다. 그녀가 동경의 대상일 수 있는 이유에는 그녀의 밝은 피부색과 부유함이 크게 작용하였지만, 그것 이상으로 모린에 대한 '어머니의 역할'이 중요하게 작용한다. 모린이 자신이 본 영화 내용을 피콜라와 프리다 그리고 클라우디아에게 소개하는 것, 그것은 못생긴 흑인 어머니를 원망하던 혼혈 소녀가 어머니의 죽음 앞에 슬피 운다는 내용의 영화이며, 그녀는 혼자가 아닌 엄마와 함께 보았다고 말한다. 부모의 경제력과 보호덕택에 인종차별이 심한 사회에 직접 노출되지 않은 모린이 앞으로 겪게 될 다양한 충격에 대한 엄마의 세심한 역할이 엿보인다. 뿐만 아니라 모린은 자신이 생리를 시작했다는 사실을 두려움 없이 받아들이고 있고 왜 생리를 하는지에 대해 아이다운 수준에서 충분히 이해하고 있다. 갑작스럽게 생리를 시작한 피콜라는 생리를 함으로써 아이를 가질 수 있게 되었다는 설명을 모린으로부터 처음 듣는다. 그리고는 누군가의 사랑을 받아야 한다는 사실에 난감함을 표출하며 그 남자는 아이가 태어나기 전에 떠날 것이라고 확신한다. 피콜라는 여아가 겪게 될 신체 변화와 심리적인 충격에 대비해 어머니의 보살핌을 받아 온 모린과 큰 대조를 보인다.

피콜라는 '생명이 없는 것들'(41)에 가치를 부여하는 힘을 가지고 있어서 어른들의 눈에 하찮은 것들이나 주변에 많아 눈에 익은 것들, 그리고 낡아 제 기능을 못하지만 있음으로 그 존재를 확인시켜주는 것들에 대해 참된 것이라는 인식을 가지고 있었다. 사탕을 사기 위해 들뜬 상태에서 식료품점으로 향하는 피콜라는 자신이 보기에는 생명력이 강하고 예쁘기만 한 민들레가 왜 잡초인지 궁금증을 갖는다. 그러나 상점주인 야코보스키Mr. Yacobowski 씨로부터 무관심과 인종적 혐오감을 느꼈을 때 생각에 많은 변화를 겪는다. 자신을 볼 가치가 없는 존재로 취급하면서 보지 않는 야코보스키 씨의 흐릿한 망막을 경험한 피콜라는 민들레를 향해 "저건 추해. 잡초일 뿐이야"(43)라고 말한다. 마이너는 남성이 여성의 존재를 부정한다는 점에서 이 장면이 사실상 소설에서 묘사된 성폭행에 상응하는 것이라고 말한다. 그에 따르면, 야코보스키 씨의 시선 아래에서 피콜라는 물질로 취급되며 자기 자신과 자신의 세계를 방어하지 못하고 인간 인식의 완전한 부재를 경험한다. 그의 푸른 눈이 부여한 기준에 미치지 못하는 피콜라와 민들레는 마술과 같은 힘을 잃게 된다(93). 「토니 모리슨의 『가장 푸른 눈』 흑인 서술 미학의 한 보기」에서 김애주는 거울의 두 가지 기능, 즉 사물을 그대로 투영하는 객관적 기능과 범위를 벗어나는 사물은 결코 투영하지 않는 제한적 기능을 소개한다. 제한적 기능으로서의 거울이 지닌 협소함은 간과되어서는 안 되는 지배적 이데올로기의 산물로서 작용할 수 있으므로, 야코보스키 씨의 사건은 시야에 들어오는 어떤 존재를 무화시키는 거울 기능의 표상이자 이데올로기의 산물이라고 주장한다(112). 또한 「아동문학의 관점에서 조명해본 토니 모리슨의 『가장 푸른 눈』과 김용익의 『푸른 씨앗』」에서 신진범은 푸른 눈을 열망하는 아이와 푸른 눈 때문에 상처를 겪는 아이 모두가 평소 소중하다고 생각한 대상 또는 자신보다 힘이 없는 대상에게 그 상흔을 배출하는 상황을 보여주는데, 이것은 죄가 죄를 낳는 인종차별과 그 해악을 상징적으로 보여주는 예라고 할 수 있다고 말한다(115).

백인 우월주의와 인종적 수치심이 노골적으로 표출된 장면으로, 브리드러브 부인이 피콜라를 때려 넘어뜨리고 겁먹은 백인 꼬마를 달래는 모습은 프리다와 클라우디아로 하여금 흑인 아이들에게 늘 노출되어 있던 많은 다른 형태의 '브리드러브 부인'을 기억해 내도록 돕는다. 혼혈 소녀 모린의 외양에 주눅 든 같은 반 친구들의 눈, 같은 동공이지만 피콜라를 대할 때면 돌변하는 또래 아이들의 눈, 그리고 피콜라가 잉태한 아기에 대해 색안경을 낀 채 혐오감과 흥분으로 채색 된 어른들의 눈이 바로 그것이다. 이런 주변의 눈들이 한 곳으로 모아진 것이 가학적 모성으로서의 브리드러브 부인의 모습이다. 미리암 존슨Miriam M. Johnson은 자신의 저서 『강한 어머니들, 약한 아내들』(*Strong Mothers, Weak Wives*, 1988)에서 신체적, 정신적 근친상간은 가부장적 남성지배의 문화와 그 속의 나약한 어머니로 인해 발생한다고 지적한다. 때문에 개인으로서의 어머니의 실패인양 그 책임을 어머니에게 물어서는 안 되며, 그것을 가능하게 한 남성지배 문화에 그 책임을 돌려야 한다고 주장한다(173). 이것은 사회적인 책임을 강하게 지적하면서 동시에 나약하고 무능하며 부재한 모성적 책임을 함께 언급한 것인데, 근친상간에 대해 비난의 일부를 받게 될 브리드러브 부인은 자신이 받게 될 비난을 피콜라에게 전가하는 비정한 엄마이다. 만취한 상태로 집에 돌아온 촐리는 매질로 기울어진 것 같은 피콜라의 굽은 등을 보면서 연민의 감정을 느꼈고 그 감정은 다시 증오의 감정으로 옮겨가더니 결국 욕정으로 바뀐다. 피콜라가 아버지 촐리로부터 성폭행을 당한 책임이 마치 피콜라에게 있는 양 브리드러브 부인은 피콜라를 매질하는데, 이 같은 브리드러브 부인의 모습에는 딸 피콜라의 가랑이 사이의 고통을 덜어줄 모성적 보살핌이 전무한 상태이며, 자녀의 정체성 형성에 결정적인 '사랑과 감정적

지지' 또한 결여되어 있다.

엘리자베스 헤이즈Elizabeth T. Hayes는 자신의 논문 「네가 묻힌 것을 보는 것과 같은」("Like Seeing You Buried")을 통해 페르세포네Persephone와 데메테르Demeter 간의 어머니, 딸의 결속이 가부장제라는 억압된 환경 하에서 자녀의 성장에 미치는 영향력을 조명하고 모녀결속에 있어서 페르세포네와 피콜라의 대조에 주목한다(176). 헤이즈는 그리스 로마 신화 페르세포네와 데메테르 이야기를 소재로, 남성 지배를 대표하는 죽음의 신 하데스Hades와 제우스Zeus에게 저항하는 여성 중심적 신화로써 이들 모녀의 이야기를 분석한다. 그리고 이들 모녀결속의 신화는 조라 넬 허스톤Zora Neal Hurston의 『그들의 눈은 신을 보고 있었다』(1937)와 앨리스 워커Alice Walker의 『컬러 퍼플』(1982)과 함께 『가장 푸른 눈』의 분석 틀을 제공하면서 미국의 백인 중심 가부장적 사회분위기와 인종차별 속에서 고통스럽게 성장해가는 학대받는 흑인 소녀들의 경험과 모성의 관련성을 조명하게 된다(172). 헤이즈는 허스톤, 워커, 그리고 모리슨과 같은 흑인 여성 작가들이 흑인 여성의 정체성 형성에 있어서 백인 중심의 가부장적 지배의 파괴적 영향력을 탐구해온 작가들인 만큼, 페르세포네 신화가 이들 흑인 여성 작가들에게 "생산적인 틀"(generative framework)을 제공했다고 주장한다(172).

헤이즈는 페르세포네와 달리 피콜라가 비극적인 삶을 사는 이유를 사랑과 결속의 결여, 두 가지로 정리한다. 페르세포네가 자신을 유린한 강력한 힘을 지닌 하데스로부터 사랑을 받은 반면, 피콜라는 누군가로부터 사랑을 받아 본 적이 없으며 촐리에게 혐오와 죄의식 그리고 연민의 분출 대상에 지나지 않는다(176). 피콜라가 사랑이 어떤 느낌일까 떠올려 보지만 허사이다. 그리고는 부모가 침대에 있을 때를 생각해내고 "헐떡거리는 소리와 침묵"(49)이라고 그녀는 추측할 뿐이다. 피콜라를 비극의 주인공으로 만드는 또 다른 이유는, 페르세포네는 자신을 죽음의 세계로부터 자유롭게 해준 어머니 데메테르와 모성적 결속이 가능했던 반면, 피콜라는 근친상간이라는 끔찍한 경험을 당한 딸을 믿지 못하고 비난을 퍼붓고 심지어 심한 매질을 가하는 "실패한 데메테르"(176) 역의 브리드러브 부인으로 인해 자녀, 어머니간의 결속에 실패한다. 헤이즈는 페르세포네가 죽음의 신에 의해 지하세계로 납치되어 성적 유린을 당했음에도 불구하고 어머니와의 결속과 사랑의 힘으로 새로운 생명을 잉태할 잠재력을 키웠음을 강조한다. 그녀는 피콜라 또한 스스로의 극복 의지를 가지고 침묵해서는 안 된다는 것과 그때 결정적인 영향력으로써의 모성에 주목한다.

한편, 앞서 마이너가 사회적 책임을 지적했던 것처럼 헤이즈도 젊은 독자들이 촐리의 행동에는 머리를 흔들 뿐 모든 비난을 브리드러브 부인에게 쏟아 붓는 것에 대해, 백인 중심의 남성지배적 사회분위기에 편승하는 또 다른 "엄마에게 정죄하기"blame the mother 신드롬에 지나지 않는다고 경계한다. 모리슨 또한 모성부재의 책임을 전적으로 브리드러브 부인에게 돌리지 않고 사회적 책임을 언급한다. 브리드러브 부인의 모성부재로 인한 행위들은 유럽과 미국을 중심으로 한 미의 기준으로 가득 채워져 있어서 그 기준을 벗어난 어떠한 것이든, 심지어 자신과 딸조차도 브리드러브 부인에 의해 가치 절하된다(Hayes 재인용 177)고 모리슨은 주장한다. 이와 같은 헤이즈와 모리슨의 주장들은 모두가 기억하고 싶지 않은 그 무엇으로 인해 파생된 피콜라의 광기, 흑인 사회의 불협화음, 그리고 검은 피부의 모성부재에 대해 클라우디아가 던진 'why'에 대한 해답의 실마리를 제시한다. 「『가장 푸른 눈』에 나타난 실존적 자아 정체성」에서 김길수는 백인과 흑인이 마주칠 때 그들 간의 자아정체성 개념 차이로 인해 백인에게는 사회적 우월성이, 흑인에게는 그들의 수치심을 야기하는 사회적 열등성이 실존한다고 말한다. 그의 주장에 따르면, 이것들이 충돌할 때 패자는 소외되고 자아정체성을 상실하며 사자dead나 비존재적nonexistent 상황으로 내몰리게 되는데, 이것을 막기 위해서는 '공동사회의 미학'이 요구된다(152). 이강선은 피콜라의 부모가 과거에 경험한 인종적 굴욕이 현대적 형태로 바뀌어서 피콜라에게 인종적 수치심으로 나타난다고 말하면서, 삶에서 일어나는 사건들이 기억을 만들어 내고 그 기억으로부터 전통이 만들어지며, 그 전통으로부터 정체성이 만들어진다고 주장한다(255). 따라서 이와 같은 주장은 정체성이 개인의 경험이 다음 세대로 전승된다는 점에서 생래적이거나 선천적인 것이 아니라, 후천적 또는 환경적이며 억눌린 부모의 경험이 자녀의 정체성 형성에 직접적인 영향을 끼친다는 점을 강하게 시사한다.

4 모성의 결여지점: 에바

앞서 분석한 제럴딘의 경우, 백인 우월주의 가치관에 매몰되어 인종적 혐오감과 수치심을 자녀에게 전가함으로써 자녀와의 관계는 물론 자녀가 형성해야하는 관계형성에 실패를 초래한 모성부재의 사례라고 할 수 있다. 제럴딘과는 달리 에바Eva의 모성은 백인 중심의 가부장적 사회규범의 부권적인 권력을 행사함으로써 자녀와의 감정적 공감을 통한 관계형성에 실패함은 물론, 그들이 맺을 관계의 단절에 직접, 간접적으로 관여하는 파괴적인 양상을 보인다. 모리슨의 작품에 등장하는 모성들 중에서 가장 헌신적이고 강인한 모성으로서 "대모"(Great Mother, Samuels & Hudson-Weems 38)로까지 평가 받는 에바의 모성은 크게 두 가지로 구분되는데,

가부장적이건 전통적이건 또는 지나치게 현실적이건 간에 모성적 의무를 다하고자 했던 것이라는 분석과 흑인 어머니와 흑인 자녀와의 관계에서 어머니가 행사했던 부성적인 권력과 그것으로 인한 양자 관계의 희생적이고 파괴적인 측면에 초점을 맞춘 분석이 바로 그것이다. 상반된 두 입장에도 불구하고 "경제적인 요소와 힘의 관계에 따른 흑인 어머니의 복잡성에 귀 기울여야 한다"는 매리엔 허쉬Marrianne Hirsch의 지적대로 사회 경제적인 요소들은 흑인 모성을 분석하는 데 있어서 중요한 요소이다(108). 에바를 자식의 삶을 갈취한 부정적인 모성으로 만든 사건이 남편 보이보이BoyBoy가 떠난 후 세 명의 아이들과 겪어야했던 삶의 절박함과 남편에 대한 증오에서 비롯되었다는 점에 주목할 필요가 있다. "아이들에게는 그녀가 필요했지만 그녀에게는 돈과 온전한 자신의 삶이 필요했다"(28)는 대목은 빈곤하고 게다가 가장 또한 부재한 흑인 가정에서 아이 양육과 경제적 안정이 양립 불가능한 선택상황임을 말해 준다. 에바의 모성은 아이와 감성적인 교감을 간과한 채, 빈곤 극복을 최우선 과제로 삼았으며, 이 문제를 해결하기 위해 그녀는 아이들을 이웃집에 맡기고 마을을 떠난다. 많은 억측 속에서 잘린 한쪽 다리와 엄청난 보험금 그리고 권위적이고 강한 모성적 역할모델로 무장한 에바가 돌아온다.

에바의 변화된 모습에 모두의 이목이 집중되지만, 모두가 힘든 상황에서 18개월이라는 긴 시간을 다시 돌아온다는 기약조차 없는 어머니를 기다리며 받았을 아이들의 상처에 관심을 가진 사람은 아무도 없다. 위니콧은 「부모-유아관계에 관한 이론」이라는 논문에서 유아가 환경에서 자신에게 필요한 가능한 많은 것을 얻어내면서 자신의 발달과정에 기여한다고 언급한다. 그의 주장에 따르면 유아는 최적의 양육을 필요로 하는 것이 아니라 '충분히 좋은 양육'good enough mothering을 필요로 한다(해밀턴 『자기와 타자』 83).[4] 자녀의 양육을 위한 에바의 선택이 물질적 환경에 있어서 최적일 수는 있으나 정서적 환경에 있어서는 '충분히 좋은 양육'을 결여하고 있다. 한나가 에바에게 "우리를 사랑한 적이 있나요?"(Mamma, did you ever love us? 58)라고 하는 질문에서 알 수 있듯이, 어머니의 사랑을 확인하고 싶어 하는 자녀와 자신의 힘든 삶을 알아주기를 강요하는 어머니 간의 간극은 좀처럼 좁혀질 기미가 보이지 않는다.

자녀의 감정적 공감이 배제된 에바의 변화는 노예를 조정하고 미워하던 백인들의 오만한 모습과 많이 닮아 있어서, 아이들의 감정적 요구와 박탈감을 담아내지 못한다. 카민은 다리가 절단되는 에바의 충격적인 경험이 그녀를 수동적 희생자에서 적극적 조정자로 바꾸어 놓았으며, 그녀를 움직이는 동력을 사랑에서 미움으로 옮겨가게 했다고 말한다(34). 삶을 억척스럽게 이끌어가는 에바의 원동력은 모성에 기초하고 있지만 그 힘을 추진해나가는 실질적인 힘은 백인 중심의 가부장적 남성담론에 의존한다. 혹독한 추위와 가난을 경험한 에바로서는 흑인 여성이 할 수 있는 모성의 한계를 너무도 잘 알고 있기에, 그 무능함의 외투를 그대로 걸치기를 거부하

---

4) 엠 에스 말러M. S. Mahler와 그의 동료들은 유아가 만 3세가 될 때까지 혼자 있을 때와 어머니와 상호작용할 때를 관찰하고 '유아의 심리적 탄생'이라고 부른 과정을 서술한다. 자폐라는 일인 시스템(0-2개월)이던 유아는 공생이라는 자기-타자 시스템(2-6개월)으로 이동한다. 이 시기의 유아는 자기-타자 분화능력이 아직 미흡하여 추위와 배고픔을 비롯한 많은 불쾌한 사건이 자기 세계를 에워싸고 있는 것을 경험한다. 유아는 자신을 어루만지고 먹여주는 어떤 존재에 대한 인식을 갖게 되고 사랑하는 부모와의 관계를 통해 자아기능의 발달을 촉진한다. 그는 위니콧처럼 "충분히 좋은 양육"이 특정 유아에게 적합한 "보듬어주는 환경"(holding environment)을 제공한다는 점에 초점을 맞춘다. 생후 6개월에 이르면 나와 어머니의 관계를 넘어 낯선 대상에 대해 반응을 보이는데, 이것은 어머니와 자신의 분화뿐 아니라 어머니와 다른 사람을 구별하는 능력을 보여주는 분리와 개별화(6-24개월) 단계이다. 구분의 마지막 단계로 대상 항상성은 대상, 특히 어머니가 옆에 없거나 자신의 욕구를 좌절시키더라도 어머니에 대한 일관된 상을 유지할 수 있는 능력을 말하며 충분히 좋은 어머니상을 항상 마음에 유지하려는 능력을 일컫는다(해밀턴 『자기와 타자』 60-95).

고 가부장적 남성담론이라는 강력한 외투를 걸친다. 브리드러브 부인이 백인 가정의 하녀 폴리Polly로 일하면서 마음에 들지 않는 생선을 생선장수의 얼굴에 던지는 제한적이며 가장된 힘을 부여받듯이, 에바 또한 백인 중심의 가부장적 남성담론이 허용하는 범위 내에서 부여받은 힘을 자녀와 하숙인들에게 행사한다. 에바의 세 자녀는 그녀의 쌀쌀맞은 눈길과 독특한 성격을 견뎌내야 했으며, 그녀의 집에서 방을 빌려 쓰는 신혼 초기의 신부들은 남편들의 식사를 제대로 챙길 것과 그들을 위한 세탁과 다림질 방법 등에 대해 에바의 끊임없는 잔소리를 들어야 했다. 어려운 시대를 살아오면서 에바가 지녀야했던 강인함만을 강요하는 일방적이고 맹목적인 모성과 백인 남성 중심의 가치관이 여과 없이 반영된 모습이다. 콜린스는 흑인 여성이 모성으로 인해 너무 많은 대가를 치러야하는 점, 그리고 흑인 공동체에서 좋은 흑인 여성이라면 아이를 낳고 싶어 할 것이라는 견해에 대해 '가치와 재생산에 대한 무지'라고 언급하면서 그 폭력성을 지적한다(332). 에바의 모성은 그녀의 자녀들과 흑인 여성들이 추구하는 가치에 대해 스스로 생각하고 판단할 수 있는 여지를 제공해주지 못하였을 뿐 아니라, 개별성이 무시된 채 일방적으로 강요된다.

개별성이 무시된 에바의 강압적인 모성은 흑인 모성의 핵심이라고 높게 평가되는 "대안 어머니"(othermother, 콜린스 재인용 306)로서의 특징에서도 제 기능을 발휘하지 못한다. 대안 어머니란 아프리카와 미국의 흑인공동체에서 한 사람이 전적으로 아이를 양육하는 책임을 맡는 것이 현명하지 않고 경우에 따라 불가능하다는 판단에 따라 자녀의 양육을 생물학적 어머니, 즉 현연 어머니와 함께 나누는 여성을 일컫는다(『흑인 페미니즘 사상』 306). 자녀 양육에서 보이는 그녀의 오만함은 하숙인들은 물론 세 명의 버려진 고아들인 듀이Dewey들을 돌보는 그녀만의 방식에도 그대로 나타난다. 에바는 딱한 처지의 세 아이들을 거두어 키우게 되는데, 그녀가 이들 듀이들을 양육하는 방식은 백인 농장 주인들이 흑인 노예를 대하는 방식과 다름없이 피부와 머리카락 색 그리고 이름 등 개별성을 무시한 에바의 모성을 집약적으로 보여준다. 듀이들은 자신에 대한 모성을 포기한 누군가가 양육 또한 포기하면서 씌운 털모자와 이름들을 가지고 에바의 집으로 왔다. 그러나 에바는 그들의 모자를 벗겨버렸고 그들의 이름을 무시했다. 에바의 집에 처음 왔을 때, 누가 보더라도 외모도 많이 다르고 나이도 두세 살 차이가 나던 그들은 한 명 한 명 구별이 어려워졌을 뿐 아니라, 듀이 자신들조차 서로 구별되기를 원치 않는 지경에 이른다.

> 아이의 어머니나 그 누군가가 아이를 내다버릴 당시, 아이들을 감싸고 있던 고치가 무엇이었던 간에, 각각의 아이들은 서서히 자신의 고치로부터 벗어났고, 이름뿐만 아니라 실제로도 한 명의 듀이가 되는 에바의 견해를 받아들였다. [. . .] 서로 분리될 수 없으며 듀이 자기들 외에 어떤 것도, 어느 누구도 사랑하지 않는 듀이들은 셋이 하나의 이름을 사용하는 삼위일체가 되기 위해 다른 둘과 결합하였다. (33)

백인 노예주가 흑인 노예들을 통제하듯, 그녀의 양육방식은 흑인 노예에 대한 백인 노예주의 지배담론을 그대로 빼닮았다. 양육자로부터 같은 이름을 부여받은 듀이들은 개체성과 자발성이 무시된 채 양육자로서 에바의 통제를 받을 뿐이다. 술라의 친구 넬Nel의 결혼식에서 춤을 추는 듀이에 대한 묘사에 따르면, 그들은 "외적으로는 120센티미터 밖에 되지 않는 성장이 멈춘 상태이며, 짓궂고 교활하고 은밀하며 완전히 제멋대로인" (mischievous, cunning, private and completely unhousebroken 73) 청년들로 성장했다. 개체성을 무시한 채 양적인 성장에만 몰두할 수밖에 없었던 강한 흑인 모성의 질적 모순을 단적으로 보여주고 있다.

대안 어머니라는 흑인 모성의 강점에서조차도 모순적인 측면을 부각시키면서 그 위상을 위태롭게 하는 원인에 대해, 모리슨은 흑인 모성이 백인지배라는 위선과 기만으로 가득한 바닥촌Bottom과 같은 현실에 뿌리를 두고 있기 때문임을 암시한다. 삭뚬의 플롯은 백인 농장주가 노동의 대가로 주기로 약속한 비옥한 땅을 흑인 노예에게 주지 않기 위해, 하늘의 바닥이라고 속여 황량한 언덕 위에 위치한 마을을 바닥촌이라고 부른 유래에 관한 일화로 시작된다. 카민은 백인의 탐욕과 속임수에 기반을 둔 이 일화가 『술라』의 중요한 구조적, 주제적 맥락이 되고 있으며 언어를 교묘하게 조작하는 백인과 그것을 그대로 인식하는 노예와의 관계는 노예해방 이후에도 바닥촌 사람들의 삶과 연관된다고 주장한다(32). 「『술라』(*Sula*)에 나타난 웃음: 그 특성과 역할」에서 남승숙은 "자유를 주는 것은 쉬웠다. [. . .] 그러나 백인 농부는 땅뙈기만은 떼어 주고 싶지 않았다"(4)를 인용하면서 모리슨이 실질적인 의미와 거리가 먼 노예해방의 표면적인 명분과 백인의 횡포를 조롱 섞인 농담으로 드러낸다고 말한다(95). 그 뒤를 이어 전쟁 참전 후 겉은 멀쩡해 보이지만 속은 망가질 대로 망가져 돌아온 보울비Shadrack의 전쟁경험이 소개된다. 그의 전쟁경험은 아이의 양육이 불가능했던 노예제도 하에서와는 달리, 지금의 '어린' 흑인 모성이 백인 지배라는 위선과 기만으로 가득한 바닥촌과 같은 현실에서, 이유와 명분도 모르는 채 달려 나가야 했던 어린 흑인병사와도 같은 상황에 처해있음을 강조한다. 모리슨은 샤드랙의 충격적인 전쟁경험을 생생하게 묘사한다. 터지는 폭탄과 고함소리 속에서 방향감각을 잃은 채 달려 나가던 샤드랙은 바로 옆에서 달려가던 병사의 얼굴이 포탄 파편에 맞아 차례로 날아가 사라지는 장면을 목격한다.

> 그가 충격을 인식하기도 전에, 그 병사의 머리 나머지 부분이 뒤집힌 국그릇 같은 헬멧 아래로 사라졌다. 그러나 고집스럽게, 어떤 시련도 받지 않은 머리 없는 병사의 몸은 등 뒤로 흘러내리는 두개골 조직 조각과 핏물을 완전히 무시한 채 정력적이고 우아하게 내달렸다. (7)

외견상 정력적이고 우아하게 달려가지만, 실상은 무뇌 상태에서 고집스럽게, 그리고 계속 흘러내리는 피에 아랑곳하지 않고 달려가는 모습에서 모리슨은 모성부재와의 유사성을 찾는다. 예술과 정치성과의 연관성을 끊임없이 주장해 온 모리슨에게 있어서, 모성이란 전통적인 의미 그 이상의 의미를 내포하고 있음이 분명하다. 뇌가 없이 움직이는 신체의 기계적인 움직임을 목격하고 죽음의 공포에 휩싸인 샤드렉이 정상적인 사회인으로 생활하지 못하였듯이, 마치 뇌가 없는 듯 생각 없이 기계적 공포에 전율하며 성장한 에바의 자녀들 또한 사회에 적응하지 못한다. 모리슨이 보여주는 '어리지만 강한' 흑인 모성은 외면적으로는 강인한 군인의 형상이지만 내면적으로는 혼돈 속에서 방향을 잃고 맹목적으로 전쟁터를 달리는 어린 병사와도 같은 모성이다.

자녀들로 하여금 공포감과 전율을 느끼게 하는 강인한 에바의 모성에는 늘 남성의 부재와 그들에 대한 증오가 함께 한다. 플럼이 세 살 되던 해, 남편 보이보이가 에바의 집을 방문한다. 무더운 여름 날, 레모네이드를 준비하던 그녀의 두 손은 얼음을 깨는 송곳을 집어 들어 그의 넥타이핀에 내리 꽂고 싶은 충동에 사로잡힌다. 번쩍이는 오렌지색 구두, 도시풍의 세련된 모자, 푸른색의 양복, 반짝반짝 윤이 나는 그의 손톱, 그리고 밖에서 그를 기다리는 여자의 한바탕 웃음소리에 그녀의 충동은 좌절된다. 에바의 눈앞에 펼쳐진 화려한 외양과 도시풍의 웃음소리는 그녀의 잘린 다리와 큰 대조를 보인다. 그 웃음소리는 자신의 감정에 충실할 여력이 없었던 에바에게 증오심을 불러 일으켰으며, 그 증오심은 향할 대상을 제대로 찾지 못하고 점점 커진다. 그리고 에바는 보이보이의 모습에서 호두 알맹이를 빼내는 데 집중할 때의 플럼의 모습을 찾아낸다.

> 보이보이를 미워하면서 그녀는 살아갈 수 있었다. 그리고 그녀가 자신을 정의하고 강화하기 위해, 혹은 일상의 상처받기 쉬운 일로부터 자신을 보호하기 위해 그 미움을 원하고 필요로 하는 한, 그 미움은 안전함과 전율 그리고 지속성을 지닐 수 있었다. (31)

보이보이의 모습에 언뜻 비친 플럼의 모습은 에바로 하여금 가장 이기적인 방식으로 그의 삶을 갈취하도록 작용한다. 지금까지 그녀는 남편에 대한 미움으로 삶을 지탱할 수는 있었다. 그러나 가족에 대해 어떠한 의무와 책임도 짊어지려 하지 않았던 남편의 모습을 고스란히 담고 있는 자식에 대한 미움으로 미래의 삶을 살아내기란 그녀에게는 역부족이다. 딸 하나의 몸에 불이 붙었을 때 온 몸을 내던졌던 그녀의 행동에 비추어볼 때, 가족 부양은커녕 자신의 몸조차 가누지 못하고 마약에 빠져 드는 플럼을 불태워 죽이는 것은 가족을 방치한 남편의 무능력에 대한 증오심을 플럼에게 전이한 결과이다.

백인지배의 위선과 기만 속에서 모성을 실현하려는 흑인 여성의 몸부림은 강하고 권위적인 모습을 지향한 나머지 분노와 증오의 감정을 나약한 소유물로서의 자녀들에게 쏟아 붓고 결국 제거하기에 이른다. 플럼이 1917년 전쟁에 나가기 전, 그는 에바의 끊임없는 사랑과 애정의 대상으로서의 외아들이었다. 그러나 오랜 기다림 끝에 돌아온 플럼은 마약에 탐닉했고, 그 영향으로 유쾌하게 돈을 훔치기도 했으며 전축을 틀어 놓고 자주 잠을 잤으며 또한 식사도 제대로 하지 않았다. 쇠약해진 그의 몸에 축축한 석유가 부어지기 직전 그는 낄낄거리며 "엄마, 엄마는 정말 대단해" (Mamma, she sure was somethin' 40)라며 중얼거린다. 그에게 있어서 엄마는 대단한 존재, 거대한 존재이지만 에바는 부리기 힘든 노예를 불태우는 노예주의 판단력만을 소유한 뇌가 없는 모성이었다.

> 그는 알 수 없는 무언가를 느꼈다. 지금 강하게 끌어당기는 냄새를 풍기며 그의 다리와 배 위로 옮겨 가는 일종의 축축한 불빛인 것 같았다. 그 축축한 빛 자체는 그 주변을 온통 감쌌고, 그의 피부 속으로 철벅 철벅 물이 튀듯 빠르게 젖어 들어왔다. 그는 눈을 뜨고 그가 상상했던 것을 보았다. 거대한 날개를 가진 독수리가 그의 몸 위로 축축한 빛을 퍼붓고 있었다. 일종의 세례식이며 일종의 축복과 같은 것이라고 생각했다. 그것은 모든 것이 잘 되고 있다고 말해주었다. 그는 모든 것이 잘 되고 있다는 것을 알고 난 후, 눈을 감고 다시 잠의 밝은 구덩이 속으로 빠져들었다. (40-41)

플럼에게 커다란 존재로 자리한 어머니 에바이지만, 정작 어머니로서 자신을 지탱하지 못하고 방황하는 아들에게 안식처가 되어주거나 다시 자신의 자리를 찾아갈 수 있도록 도움의 손길을 내밀지 못한다(Rigney "Hagar's Mirror" 62). 급기야 에바는 신문지를 딱딱하게 뭉쳐 불을 붙인 다음 그것을 플럼의 침대에 던져 넣어 플럼의 죽음을 유도하게 된다.

에바의 강한 모성은 상처를 받거나 장벽에 가로막힐 때면 휘어지는 유연성을 발휘하지 못하고 부러져버림으로써 비극적인 결말을 초래한다. 위니콧의 '충분히 좋은 엄마'는 아이의 욕구에 맞추어 아이를 안는데, 이와 같은 안아주기는 신체적인 것과 정서적인 것을 모두 포함한다. 엄마가 유아에게 필수적인 안아주기와 보호를 제공하지 못할 때, 유아는 충격과 반발 속으로 내쳐지며 멸절annihilation을 경험한다. 위니콧에 따르면, 멸절의 경험이란 세상에서 방향성을 잃고 의사소통의 수단이 하나도 없으며 완전한 고립의 상태에서 산산이 조각나고 신체 감각이 없는 '원초적인 고뇌'의 상태이다(『대상관계이론 입문』 144). 이때 유아가 느끼게 되는 비존재감은 유아로 하여금 산산이 부서질 것을 두려워하게 만들고 거짓자기를 발현시켜 고통 받는 '참 자기'true-self를 가리려한다(『대상관계이론 입문』 144-46). 멸절을 경험한 플럼은 마약에 의존하여 참 자기를 가리고 거짓 자기를 발현시킨다. 그러나 에바는 플럼이 겪는 현실부적응 현상을 모성애로 담아내어 자식이 받아들일 수 있는 형태로 돌려주려는 노력을 하기보다는, 자식을 불태우고 자신의 방에 칩거한다.

에바가 현실적인 어려움에 부딪혔을 때, 자신의 방에 칩거하면서 자신을 가두는 방식은 모성에 기초한 자제력의 상실이면서 동시에 모성애적 의지의 상실로써 명백한 모성부재이다. 그녀가 선택한 칩거는 자식의 삶에 주도권을 행사하지 못할 때 그냥 자기 세계의 문을 닫아버리는 일방적이고도 강한 삶의 방식이다. 에바의 칩거는 귀향한 술라와 대립상황에 놓였을 때에도 손녀 술라와의 해결을 모색하기보다는 자신의 방문을 걸어 잠그는 모습에서 반복되는데, 이것은 에바의 자녀들이 힘든 삶에 대처하는 방식으로 대물림됨으로써 그들의 삶을 비극적으로 마감하는 결과를 가져왔다. 참전 후, 방황하던 플럼은 고향으로 돌아와서는 스스로를 자신의 세계에 가두었으며, 술라 또한 자신만의 삶의 방식 속으로 빠져든다. 디나드Denard는 술라가 찾으려고 부단히 애썼던 새로운 자유 추구가 궁극적으로 좌절되었을 때, 그녀가 흑인 공동체의 가치와 관습에 자기만의 고집스러운 방식으로 맞선다고 지적한다. 그의 주장에 따르면, 술라가 가장 친한 친구인 넬의 남편과 잠을 자고, 할머니 에바를 요양소에 강제로 이송하며, 속옷을 입지 않은 채 교외만찬에 참석한다거나, 흑인 사회에서 결코 용납되지 않는 백인과 잠을 잤다는 루머의 주인공이 되는 등 그녀만의 세계로 빠져드는 모습은 흑인 공동체의 구성원들이 그녀를 배척하고 악evil으로 규정하게끔 한다(174). 에바는 손녀인 술라에 의해 수용소로 이송됨으로써 세상과 단절된 채 자신의 세계에 영원히 갇히는 운명을 맞게 되며, 술라 또한 그녀를 바라보는 주위의 차가운 시선에 의해 고립된 채 넬을 제외한 누구의 도움도 받지 못하고 자신만의 세계에 갇힌 채 죽어간다.

특히 흑인 공동체로부터의 술라의 고립에는 그녀를 바라보는 에바의 시선이 결정적인 역할을 하였다. 술라를 바라보는 에바의 시선은 주위의 시선보다 더 냉소적이고 폭로적인 성향을 띤다. 몸에 불이 붙은 딸 한나를 향해 자신의 몸을 던져 덮침으로써 불을 끄려던 에바는, 방향을 잘못 잡아 3미터 정도 떨어진 위치에 온 몸이 으깨지는 부상을 입으며 떨어진다. 그리고 바로 그곳에서 엄마가 불타고 있는 장면을 지켜보는 술라의 모습을 목격한다. 자기 자식의 결점을 결코 덮어 주는 법이 없었던 에바는 자신의 판단을 확인받고 술라의 진상을 폭로하고자 하는 의도로 자신이 목격한 장면, 즉 엄마가 타들어가는 장면을 조금도 동요하는 기색이 없이 바라보던 어린 술라의 모습을 이웃들에게 전한다. 에바는 술라가 마비되어서라고 말한다. 비록 자신의 생각을 이웃에게 직접 전달하지는 않았지만 술라에 대한 의혹이 내재된 에바의 발언은, 후에 흑인 공동체가 술라를 고립시키는 일에 큰 몫을 담당하게 된다.

작품을 통해 모리슨은 절대적 힘을 행사하는 모성이 자녀의 삶과 직접적인 연관성을 가지고 있음을 강조하면서, 술라 주변에서 일어나는 부정적인 사건들이 모성과 직, 간접적으로 연관되어 있음을 역설한다. 첫 번째 사건은 술라의 집에 물병을 빌리러 갔던 다섯 살 티포트Teapot가 실수로 계단에서 굴러 떨어지는 사고이다. 그 현장은 자식에게 무심했던 알코올 중

독자인 티포트의 엄마에게 목격된다. 티포트의 뼈에 금이 간 근본적인 원인은 영양실조였지만 책임의 중심에는 술라가 있고, 술라가 받은 적도 준 적도 없다고 느끼는 생경한 모성이 알코올 중독자인 티포트의 엄마에게 자발적으로 발현된다. 두 번째 사건은 술라를 힐끗 보다가 닭 뼈가 목에 걸린 핀리 씨Mr. Finley의 죽음과 연결된다. 사람들은 그가 술라의 눈 위에 사리한 모반을 쳐다보다가 당한 사건이라고 말한다. 사람들은 그 모반이 모성보다는 육체에 탐닉한 엄마인 한나가 불타면서 남긴 재의 흔적이라고 믿기 때문에, 모성부재를 경험했던 술라에게는 핀리 씨의 죽음이 모성의 결핍과도 관계되는 또 한 번의 사건으로 남는다. 세 번째 모성과 관련된 사건은, 아이러니하게도 술라가 마을 여자들의 남편을 유혹해 그들과 관계를 가졌다는 사실보다는, 그녀가 어떠한 변명도 없이 마을 남자들을 내팽개쳐버렸다는 사실에 기인한다. 마을의 흑인 여성들은 남편의 부도덕은 문제조차 삼지 않은 채, 상처 입은 남편들의 자존심과 허영심을 위로하기 위하여 그들 특유의 모성애를 발동시킨다.

흑인 여성들이 부도덕한 남편에 대해서조차 모성애를 일으킬 만큼 술라의 성적 일탈성은 흑인 사회에서 도를 넘은 것이며, 이것은 에바의 성적 탐닉으로부터 영향을 받은 것이다. 오튼Otten이 언급하였듯이, 에바의 남성성에 대한 생각은 남성과 사랑을 실천하는 것과 관련이 있으며, 남성과의 성적 관계에서 그녀는 대상이기를 거부하고 주체이기를 욕망한다(36). 에바의 강한 모성과 성적 탐닉에서 '오만함'은 딸 한나로 하여금 성적 자기탐닉에 빠지게 함으로써 모성을 등한시하게 했고, 술라가 뒤틀린 상상력을 키우는 것을 가능하게 했다. 자신의 남편과 잠자리를 한 술라를 비난하는 넬에게 술라가 "내가 그를 거두었다는 것이 무슨 의미야? 난 그를 죽이지 않았어, 그냥 한번 잠자리를 했을 뿐"(125)라고 대응하는 것에 대해 바바라 스미스는 "기이한 무감각"(bizarre insensitivity 23)이라고 말하는데, 이렇듯 타인의 공감을 얻지 못하는 도덕적 무감각함은 술라가 흑인 공동체의 도움을 전혀 받지 못한 채 혼자 죽음을 맞게 만든다.

에바의 다른 자녀들뿐만 아니라 술라 역시 고립된 채 죽음을 맞는 것을 볼 때, 우리는 에바가 자녀양육의 최우선 과세로 선택한 경제적인 독립보다 선행되어야하는 과제가 있다는 확신을 갖게 된다. 카민은 술라가 어머니가 자신에게 각별한 사랑의 감정을 가지고 있지는 않다는 것을 확인한 사건과 흑인 소녀 치킨 리틀Chicken Little을 죽게 한 사건을 겪으면서 책임이라는 문제로부터 무관심해져서 온전한 전체가 되기 위해 중심이 되는 무언가를 완전히 상실했다고 말한다. 그리고 그는 그 원인에 대해 술라가 너무나 일찍 "지적 자기성찰"(sophisticated introspection)로부터 멀어진 것과 관련이 있음을 언급한다(37). 술라의 삶을 좌우하게 된 두 사건, 즉 엄마 한나가 "술라를 사랑하지만 좋아하지는 않아"라고 하는 말을 우연히 듣고 자신이 의지할 곳 없는 존재라는 충격에 휩싸인 사건과 넬과 함께 있던 현장에서 우연한 사고로 치킨 리틀이라는 소년을 호수에 빠뜨려 숨지게 한 사건에 대해 에바나 한나는 전혀 감지하지 못하였는데, 이것은 이들의 모성이 술라의 내적 결핍을 채우기에는 역부족임을 보여준다. 아주 중대한 문제가 닥치면 술라는 감정적으로 행동하거나 무책임하게 행동했고, 그것을 다른 사람들이 처리하게 내버려 두었다. 술라는 친구 넬의 남편과 잠자리를 하고도 그것이 넬에게 상처가 되리라고는 조금도 생각지 못하였고, 상대방과 대화중에 무례한 질문으로 일그러지는 상대의 모습을 즐겼으며, 공포가 엄습해오면 자신의 손가락 일부를 잘라 자신을 괴롭히려한 남자 아이들을 기겁하게 하는 등 예기치 못한 일들을 벌렸다.

흑인 공동체가 술라를 악으로 규정하고 경계할 때에도, 인습적인 틀에 갇힌 채 순응적 삶을 살아온 넬은 예기치 못한 행동에도 불구하고 그녀를 멘토와 같은 존재라고 믿는다. 넬은 '회색공'의 망상 속에서 두려움에 떨며 그 존재에 대한 해답과 도움이 필요할 때 술라를 제일 먼저 떠올린다. 술라라면 명쾌한 답을 제시해줄 것이며, 적어도 그것을 가볍게 넘길 재치를 발휘해줄 것이라고 믿는다. 그러나 술라의 내면은 표출되는 대담한 외면과는 달리, 아주 사소한 결정들 이외엔 그 어떤 결정도 내릴 수 없을 정도로 나약하다. 그럼에도 불구하고 작가 모리슨은 자신이 창조해낸 인물인 술라에 대해 강한 애정을 보이는 듯하다. 카민은 넬의 결혼식 이후 바닥촌을 떠났던 술라가 다시 돌아왔을 때, 넬이 백내장이 제거된 듯 시력을 되찾았다는 점과 모리슨이 술라에게 남성과 같이 행동할 수 있는 자격을 부여했다는 점, 그리고 술라의 부도덕함이 자기방어에 기초한다는 점을 언급하면서 작가가 술라를 단순히 악의 구현체embodiment of evil로 몰고 가지 않는다고 주장한다(3). 또한 모리슨은 라보트 스텝토Robert Stepto와의 대화에서 "술라가 그녀의 어머니나 할머니가 한 행동만큼 나쁜 어떠한 행동을 하지 않았다"(16)라고 언급하면서 어머니와 할머니의 잘못된 모성을 질책한다. 에바는 자신의 기대와 다른 삶을 살고 있는 플럼을 제거하는데, 그 결정은 플럼의 고통에 대한 염려 때문이 아니라 자신이 감당해야하는 고통 때문이다. 한나 또한 사랑과 소유에 대한 개념이 전혀 없으며, 그래서 딸 술라에게 무관심하다. 술라를 위해 무언가를 하고 있지만 그녀가 술라에게 특별한 관심이 있는 것은 아니라는 것이다(16).

작가의 호의적인 시선에도 불구하고 불명한 것은 술라가 비인습적인 삶을 고집하며 외적으로 강한 삶을 살지만 백인 주류 사회에서는 물론 흑인 공동체에서도 타자라는 사실이다. 백인들이 자신의 '정상성'을 흑인들의 타자성을 통해서 입증하려는 것과 같은 방식으로, 흑인들 또한 술라를 고립시킴으로써 완전한 존재가 되고자 한다. 콜린스는 자신의 저서 『흑인 페미니즘 사상』에서 사회의 '타자'는 사회의 도덕적, 사회적 질서를 위협하지만 동시에 이러한 질서를 지속하는 필수적인 존재라고 말한다. 미국사회에서 사회적 주변부에 위치한 흑인 여성은 사회와 질서의 경계를 명료하게 해주는 존재로서의 타자이다(『흑인 페미니즘 사상』 130). 모리슨은 흑인 여성의 주변적 위치를 인정하면서 그 상황에서 만들어 갈 그들만의 삶의 방향을 실험적으로 제시한다. 그리고 흑인 모성이 그 삶에 끼치는 지대한 영향력을 관찰하는데, 그것이 바로 술라를 둘러 싼 삶이다. 젊은 날 술라의 모든 면을 포용하던 친구 넬은 점차 그녀와는 다른 '그들의 삶'을 살게 된다.

> 이제 넬은 '그들' 중의 하나가 되어버렸다. 어둡고 건조한 장소에 매달려 있는, 오직 생각할 것이 다음 단계의 거미줄을 치는 것이 고작인 거미들 중 한 거미. 자신들이 뱉어 낸 침에 매달려서는 거미줄 아래 뱀의 순결보다는 자유낙하를 더 두려워하며 매달려 있는 거미들 중의 하나였던 것이다. 그들의 눈은 쳐 놓은 망에 걸려드는 다루기 힘든 방랑자들에 너무나 몰두하여서 등 뒤로 펼쳐진 코발트 색 하늘이나 그들이 있는 후미진 구석으로 꿰뚫고 파고드는 달빛을 알지 못했다. (104)

모리슨이 제시하는 술라의 삶이란 거미줄 아래 위협적인 존재를 향해 자유낙하를 시도하는 거미와도 같은 삶이며, 자유낙하를 두려워하여 스스로를 자신의 세계에 가두는 거미의 삶은 아니다. 「토니 모리슨 『술라』의 정체성 탐구양상: 미국 1970년대 문화적 나르시시즘」에서 김명주는 '실험적'이라는 말이 인습의 틀을 깨고 자신만의 영역을 개척하는 우상파괴의 의미, 타인이 아닌 나 스스로 자신을 정의하는 독립성의 의미, 그리고 '자유낙하'처럼 위험을 무릅쓴 용기와 대담성의 의미를 지닌 매력적인 단어라고 주장한다(280). 그리고 『술라』에서 술라가 정체성 탐구과정에서 흔히 보이는 부정적, 파괴적 실험에 대해 김명주는 크리스토퍼 라쉬Christopher Lasch의 『나르시시즘의 문화』(*The Culture of Narcissism*)를 인용해 1970년대 미국이 "나르시시즘의 문화"라는 시대적 분위기를 반영한 병리적 현상으로 분석한다(281). 모리슨은 '실험적'이라는 긍정적인 그릇에 담긴 '시대적 병리현상'을 어떻게 읽어낼 것인가 하는 문제를 술라의 삶을 통해 우리에게 제시한다.

5 결여된 일차 모성: 루스

이 장에서 분석하게 될 내용은 백인 중심의 가부장적 질서에 함몰된 또 한 명의 어머니가 보여주는 '모성부재'이다. 제럴딘과 에바의 모성은 자녀양육에 있어서 너무나 강한 모습으로 주니어나 술라에게 두려움을 유발하고, 그것이 다시 증오심으로 발전함으로써 부모, 자녀간의 관계회복은 불가능한 상태에 놓이게 된다. 주니어나 술라가 느낀 증오심은 각각 다른 양상으로 표출되는데, 주니어의 경우는 제럴딘의 백인 우월주의 영향으로 강한 어머니에게는 굴복하지만 약한 타자에게 인종차별적 성향의 폭력을 행사하며, 술라의 경우 에바의 가부장적 사회규범의 영향으로 에바의 모성과 대립각을 이루면서 성차별과 인습적인 것을 해체하려는 시도를 보인다.

반면, 루스Ruth의 경우는 그녀가 가부장적 가치질서에 함몰되어 있어서 자기 존재감 자체가 너무나 미미하기 때문에 두려워하거나 증오할 대상을 인식조차 못한다는 점과 부모가 아니라 아들인 밀크맨의 성찰을 통해 부모, 자녀간의 관계 회복의 가능성이 제시된다는 점에서 앞에서 언급한 두 모성과 차별성을 보인다. 모성을 비롯한 그녀로 인한 모든 문제들은 그녀가 자신의 아버지에게 보이는 지나친 집착과 좌절에서 기인할 뿐만 아니라, 남편으로부터 느끼는 성적 박탈감을 아들에게서 보상 받으려는 은밀한 쾌락추구 때문에 생겨난다.

루스의 은밀한 쾌락을 가능하게 한 가부장제와 더불어 물질주의가 팽배한 사회에서, 루스는 남성적 권력과 그것의 또 다른 이름인 돈을 추종하면서 자연스럽게 아버지에게 집착한다. 미리암 존슨Miriam Johnson은 가부정적 남성 지배질서 하에서 나타나는 아버지에 대한 딸의 의존성을 언급하면서, 루스의 왜소함이 아버지 닥터 포스터의 책임인 동시에 그녀가 모성애를 경험하지 못했기 때문이라고 주장한다(30-31). 루스가 아버지에게 보이는 집착은 남성적 힘에 대한 갈망이면서 동시에 초기 유아, 어머니 관계의 완전한 실패, 즉 이들 관계의 부재를 반영한다. 남성적 힘에 대한 루스의 갈망은 그 지역의 유일한 흑인 의사였던 아버지와 돈의 힘을 좇는 남편 메이컨Macon Dead에게서 좌절을 경험한 후, 아들 밀크맨Milkman에게 기형적인 집착을 보이는 양상으로 드러난다. 낸시 초도로우Nancy J. Chodorow는 정신분석 임상 보고와 사회 심리적 연구들을 종합하여, 어머니보다는 아버지가 아이들에게 성 전형으로서 비춰진다는 것과 아버지들이 그들의 어린 딸들에게 여성의 이성애적 행동을 조장하는 것처럼 보인다고 밝힌다(191). 아버지가 딸아이의 어떤 행동을 "여성스럽다"고 규정하는 것이 여자아이의 발달에 잠재적인 힘으로 작용한다는 연구를 인용하면서, 초도로우는 아버지와의 관계 속에서 여성적 행동이 자연스럽게 발생한다고 주장한다(193). 이것은 '행동의 상호작용'의 측면을 주장하는 카렌 호나이Karen Horney와 어니스트 존스Ernest Jones, 그리고 클라인의 이론과 일맥상통하는 것이다(초도로우 193). 이렇듯 초도로우가 여아, 아버지와의 관계에 대한 다른 정신분석적 설명을 검토한다는 것은 여아가 새로운 관세에 집근하려는 노력이 '어머니와 유아의 초기관계'[5]에서 비롯됨을 지적하는 것이다(초도로우 193).

또한 초도로우는 딸의 발달에 아버지의 역할이 결정적이라는 마조리 레너드Marjorie Leonard의 주장을 소개한다. 자신의 임상적 사례를 바탕으로 한 그의 주장은 아버지의 역할을 크게 두 가지 경우로 제시한다. 먼저 '딸과 충분히 함께 할 수 없는 아버지'의 경우인데, 딸아이로 하여금 아버지와 남성들을 이상화하도록 이끌거나 그들에게 지나치게 가학적이거나 처벌적인 특성을 부여하도록 이끄는 방식이다. 두 번째는 '딸과 충분히 함께 할 수 있는 아버지'의 경우인데, 딸아이로 하여금 자신이나 남성들과 연관되는 것에 대한 방어수단을 발달시키도록 요구하는 방식에 관한 것이다(초도로우 191). 의사의 외동딸인 루스는 어머니가 부재한 양육환경에서 남다른 애정을 쏟았을 법한 편부를 가진 상황과 바쁜 아버지를 대신해 가정부의 손에 양육되어 아버지의 사랑을 갈구하는 상황 때문에 초도로우의 두 가지

5) 샤쓰게 스머겔Chasseguet Smirgel에 따르면, 모든 아이들은 초기 유아, 어머니의 관계라는 어머니의 전능성으로부터 자유로워져야하고 완전함의 느낌을 획득해야 한다. 여아의 경우 자신을 어머니로부터 해방시키려는 시도 중의 하나가 남근 선망이며, 이것은 전능한 어머니에 대한 반항으로 해석된다. 남근은 권력 또는 전능성을 상징한다. 여아는 어머니와의 초기 관계 속에서 느꼈던 의존의 느낌으로부터 자유로워지기 위해서 또 다른 권력으로서의 남근을 원하는 것이지, 남성적으로 되는 것이 본질적으로 더 낫기 때문에 원하는 것은 아니다. 스머겔의 남근 선망은 어머니에 대한 집착에서 파생된 것이며 대상지향에 그 기원이 있다(초도로우 196-200).

임상 사례가 루스의 성장과 발달에 복합적으로 적용된다. 그녀에게 회상 속 아버지는 "오만하고 어리석고 파괴적인 사람"(124)이며 동시에 "짓눌려 작아진 자신과는 달리 큰 사람"(124)으로 이상화된다. 어린 시절부터 열여섯이 되기까지 그런 '큰 사람'을 향한 딸의 한결같은 사랑에 의사는 짜증이 났고, 밤 인사로 나누는 입맞춤에 표현된 딸의 황홀한 표정을 보면서 의사의 심기는 늘 불편했다. 의사에게 루스는 애지중지 키운 유일한 혈육이자 가족이지만, 아내의 빈자리를 채워주는 데 도움을 주는 존재 그 이상은 아니다. 강한 아버지가 있기에 자신이 존재할 수 있다고 믿고 아버지에게 강하게 집착하는 루스와는 다르다. 그런 그녀가 부담스럽던 의사는 딸을 향한 메이컨의 구애가 탈출구와도 같다고 느낀다.

아버지와의 입맞춤에서 표출되는 루스의 '황홀한 표정'은 아버지의 사랑을 받으려는 소망의 대상관계적 표현이다. 그녀가 아버지에게 어울리지 않는 과도한 애정을 보인 것은 그가 자신에게 관심을 보인 유일한 사람이기 때문이다. 성장과정 중 그녀에게는 자신이 입은 드레스와 실크 스타킹에 관심을 보인 급우는 있었지만, 친구라고 할 만한 대상은 단 한 명도 없었다. 어머니에 대한 기억은 물론 그 사랑을 기억하지 못하는 루스에게 아버지는 사랑의 감정을 넘어 '큰 존재'로 자리한다. 카민은 루스가 혼자 침대로 갈 수 있는 나이가 훌쩍 넘었음에도 불구하고 아버지의 도움 없이 스스로 잠자리에 들지 못하는 것은, 그녀를 침대에 밀어 넣는 아버지에 의해 수동적이고 조용하고 차분하게 행동하도록 강요받았기 때문이라고 말한다(57). 루스 자신이 사는 도시에서 큰 저택을 소유하고 영향력을 지닌 유일한 흑인 인사였던 아버지에 대한 그녀의 사랑은 남성적 권력에 대한 사랑으로 발전한다.[6)]

---

6) 카렌 호니를 비롯한 클라라 톰슨, 프리다 프롬-라이히만과 같은 여성분석가들이 모성과 관

그녀의 남성적 권력에 대한 사랑은 남편 메이컨에게도 적용되는데, 메이컨은 가난한 흑인들에게 세를 주고 그들을 옥죄면서 벌어들인 돈으로 부를 축적한 사람이다. 「『솔로몬의 노래』에 나타난 주체적 삶과 긍정의 웃음」에서 남승숙은 서구 물질주의적 가치를 추구하는 인물들이 웃음을 억제하는 반면 아프리카석 가치를 추구하는 인물들은 웃음을 잃지 않는다고 분석한다. 남승숙의 분석에 따르면, 메이컨에게 있어서 물질의 증대는 풍요뿐만이 아니라 권력과 타자에 대한 지배력을 의미하며 그 위력에 대한 신봉 때문에 그는 정신적인 가치를 자신의 세계에서 내몰아버린다(117). 일요일이면 그는 온 가족을 태우고 의례적인 드라이브를 하면서 흑인들에게 자신의 부를 과시한다. 루스 또한 부를 동반한 그의 남성적 권력에 편승하여 남편이 자신에게 내뱉는 무시와 질타를 견디며 드라이브에 동참한다. 그러나 아버지에 대한 지나친 애착과 이상화는 아버지가 아닌 다른 남성인 메이컨과 건강한 부부 관계를 맺는 것을 방해한다. 아버지에 대한 루스의 애착과 이상화는 메이컨으로 하여금 그녀를 아버지와 근친상간을 일삼는 변태행위자로 의심하게 만들었고, 자신에 대한 남편의 증오는 루스에게 남편을 매개로 하여 누리고자 했던 남성적 권력에 대한 기대를 좌절케 한다. 아내 루스의 임신을 원하지 않던 메이컨은 아기를 유산시키려는 목적으로 파렴치한 행위들을 일삼았고, 그것을 견디다 못한 루스는 메이컨의 누이 파일럿Pilate을 찾아 도움을 청하게 된다. 루스와 메이컨의 관계가 결혼 초기부터 비정상적이었던 것은 아니며, 이들에게도 전희라는 것이 세상에서 가장 아름답다고 느끼던 시절이 분명 있었다. 이들의 좋은 관계는 메이컨이 루스의 옷을 벗기면서 즐거워하며 그녀를 수동적인 인형과 같은 존재로

련한 오이디푸스 콤플렉스 비난에서 보여주듯이, 여아가 은유로서의 남근을 소망한다면 그것은 남성에게 주어진 여러 특권과 이점을 인식했기 때문이며 여성의 사회적 절단의 심리적 의미를 반영하고 있다는 것이다(리치 248).

취급함으로써 가능했던 것이며(Carmean 57), 그녀가 더 이상 자신의 인형이 아니라는 사실을 확인하는 순간 그 관계는 메이컨의 일방적인 결정으로 깨지고 만다. 벌거벗은 채 죽은 아버지의 손가락에 입술을 대고 있는 루스를 본 순간, 메이컨은 불쾌감을 넘어 분노를 느꼈다.

메이컨에게 있어서 루스와 아버지가 관계하는 방식은 성을 의미했고, 그에게서 성적 만족을 느낄 때 그녀는 사랑받는 딸로서의 존재감을 인정받는다고 느낀다. 대상관계에서 말하는 성적 투사적 동일시는 성을 수단으로 하여 관심이 가는 사람과의 관계를 확립하고, 투사적 동일시의 대상이 되는 사람에게 자신이 매력인 존재라고 확신한다(캐시단 129). 아버지를 향한 루스의 성적 투사는 아버지가 루스의 헌신적인 애정을 부담스러워하며 메이컨의 구애를 기꺼이 받아들였을 때, 그리고 루스의 헌신적인 간호를 받던 아버지가 그녀가 잡고자 했던 삶의 끈을 놓고 죽음을 선택했을 때 두 번 좌절된다. 그러나 이러한 좌절을 겪은 후에도 루스에 대한 메이컨의 불신은 계속되며 이는 점차 증오로 발전한다.

> "침대에. 내가 문을 열었을 때 네 어미가 거기 있었다. 바로 그 옆에 누운 채로. 매력 없는 녀석 마냥 벌거벗은 채, 그에게 키스하면서. 희고 통통 붓고 마른 그는 죽은 상태였고 네 어미는 그의 손가락을 자신의 입에 대고 있었다. 자, 그 후 내가 얼마나 끔찍한 시간을 보냈는지를 네가 알아줬으면 좋겠다. 온갖 생각을 다하게 되었지. 레나와 코린시언즈가 내 아이들인가.... 내 말은 그들이 신체적으로 접촉했다는 것이 아니다. 그러나 비록 그가 성교는 할 수 없을지라도, 사내가 여자를 즐겁게 할 수 있는 많은 방법들이 있지." (73-74)

이와 같은 둘 사이의 불신은 루스의 아버지에 대한 지나친 애착에서 비롯된 것이며 그녀가 성장과정에서 겪었던 모성부재로 인한 결핍이 그 주된 요인이다. 미리암 존슨은 일반적인 남성 지배의 가정에서 "근친상간이 심리적인 것이지 명백하게 성적인 것은 아니다"(173)라고 말한다. 그럼에도 불구하고 모성부재라는 성장배경 하에서 아버지에 대한 그녀의 지나친 집착은 메이컨이 루스와 아버지 사이에 끼어들 수 없는 방어기제를 작동시킨다. 메이컨은 아내 루스를 죽여 버리고 싶은 충동을 느꼈고 그러지 못한 것을 후회한다고 아들에게 고백하는데, 그것은 루스가 아버지에 대해 보여준 집착의 정도와 그로 인한 메이컨의 좌절감을 가늠하게 한다.

그녀의 또 다른 성적 투사적 동일시는 아들 밀크맨과 연루된 그녀만의 은밀한 쾌락과 깊은 관련이 있다. 밀크맨은 다섯 살이 될 때까지 정해진 시간이 되면 하루의 중요 일과를 처리하듯 서재로 가서 이빨로 상처를 내지 않게 조심하면서 밍밍한 맛을 내는 어머니의 젖을 빤다. 그 변태적 쾌락 속에서 루스는 자신에 대한 아들의 절제, 예의 그리고 무관심과 같은 무의식적 순종을 느낄 수 있었고, 그것은 곧 루스에게 있어서 아들과 하나 됨의 순간이기도 했다. 자신의 존재를 확인받기 위해 아버지의 생명줄을 포기할 수 없었던 것처럼 루스는 이제 아들에게 자신의 존재감을 확인하려고 한다. 사무엘스와 허드슨-윔즈는 모리슨이 모성을 유모 역할woman-as-nurse과 보육자woman-as-nurturer로 그 역할을 확장함으로써 여성 주인공의 부적절한 수유행위를 확장된 의미로 보려 했음을 지적하면서, 루스가 아들 밀크맨이 인형인 듯 그의 성장을 원치 않고 그의 유아 시기를 확장하려 했다고 말한다(57). 아들이 유아로 계속 남아 있기를 바라는 그녀에게 아들의 소리에 귀 기울이는 모성은 없다. 단지 자신의 쾌락만이 그 자리를 차지하고 있을 뿐이다.

다섯 살이 넘은 밀크맨은 타고난 잠재력만을 지닌 초기 유아의 상태를 벗어나지 못하고 어머니에게 전적으로 의존한다. 그는 위니콧이 존재의 연속성continuity of being이라고 부르는 유아 초기의 자발적 욕구에 대한 주관성을 느끼지 못한다. 위니콧은 타고난 잠재력이 존재의 연속성을 경험할 때 비로소 최초의 자기로 형성된다고 주장한다. 위니콧은 이 최초의 자기를 참 자기, 또는 중심적 자기라고 불렀다. 참 자기의 바람직한 형성을 위해서 성장의 모든 과정이 유아의 방식과 속도에 맞춰져야 하며, 어머니의 욕구에 따라 유아를 키워서는 안 된다고 위니콧은 강조한다. 그러나 루스는 말하고 일어서고 반바지를 입을 만큼 성장할 때까지 아들에게 젖을 물렸으며, 그의 기억 속 어머니는 아들의 부름에 자신의 눈을 내리깔 뿐, 여느 어머니처럼 그의 시선에 자신의 시선을 당당히 맞추지 못한다. 쾌락의 은밀한 순간을 경비원 프레디Freddie에게 들켰을 때에도, 그녀는 수치스러운 감정이 아닌 두려움의 감정에 휩싸인다. 그녀는 다섯 살이나 된 아들에게 젖을 물렸으며 성장한 아들의 두 다리가 바닥에 닿을 듯 흔들리는 것을 보지 않으려고 눈을 감는 치밀함 또한 갖추었다. 그녀는 자신만의 은밀한 쾌락을 박탈당할 수 있다는 두려움을 먼저 염려하는 여인이다.

어머니의 은밀한 쾌락추구 속에서 밀크맨은 어머니와의 일차적 의존관계를 벗어나지 못하며, 깨달음이 있은 후 어머니에 대한 그의 불신은 걷잡을 수 없는 단계에 이른다. 젖을 먹을 나이가 지난 밀크맨이 어머니의 젖을 빨고 있는 것이 잘못된 것이라고 깨닫는 시점은 어머니가 프레디의 목격에 놀라 그를 땅에 떨어뜨리는 순간이다. 그 이전까지는 어머니와의 일차적인 관계를 벗어나지 못하고 의존적인 단계에 머물러 있었고, 어머니의 반응에 전적으로 반응하는 단계에 머물러 있었다는 것을 의미한다. 따라서 어렴풋이 무엇인가가 잘못되어 가고 있다는 깨달음의 경험이 있은 후, 밀크맨은 어머니를 불신하기 시작한다. 아버지로부터 어머니와 외할아버지

간의 변태적인 행위에 대해 전해 들었을 때, 밀크맨은 어머니가 아버지건 아들이건 가리지 않고 음탕한 놀음을 할 수 있는 여자임을 의심치 않는다. 어느 날, 밀크맨은 어머니 루스가 이른 새벽 자신의 아버지의 무덤을 찾아가는 행보를 미행하는데, 그녀에 대한 불신 속에서 그는 '음탕하다'는 단어를 떠올리며 어머니로부터 자신이 부당한 학대를 받았음을 깨닫고, 어머니가 외할아버지와 변태적 성행위를 했다는 것을 확신한다. 그의 확신은 어머니가 자신을 통해 추구하려했던 쾌락과 어머니의 변태적 행각에 대한 아버지의 폭로에 의한 것이기도 하지만 무엇보다도 그가 경험한 어머니의 비존재감이 크게 작용한다. 사무엘스와 허드슨-윔즈는 루스가 아버지의 무덤을 찾아가 그와 대화를 나누는 모습에서 모리슨이 그녀를 통해 보여주려고 했던 것은 타자를 위해 바보스럽게 살아가는 '거짓 존재'inauthentic existence라고 말한다. 사무엘스와 허드슨-윔즈는 술라가 나다움Me-ness을 지키려 했다는 것과 에바가 자신의 집을 지었던 것과 달리, 루스는 아버지의 집에 수용되어 '눌려 작아진 여자'가 되기를 선택한 것을 지적한다(55).

루스는 자신이 경험한 모성부재로 인해 '진정한 자기'를 되찾을 기회를 갖지 못했으며, 남성적 힘을 소유한 대상을 통해서 '자기'를 확인하려 함으로써 자녀와의 관계에서 자녀의 요구에 적절하게 맞추지 못하고 모성의 결핍을 재생산한다. 밀크맨을 향한 루스의 모성애는 아이의 입장에서 느끼고 유아의 정상적인 발달을 이끌어 어머니로부터 독립할 수 있게 하는 '별개의 둘'two-ness이 되는 순간이 배제되어있다. 이들 간의 관계는 루스가 아들의 위험을 전해 듣고 혼자 하는 생각 속에 잘 나타나는데, 그녀는 그간 대화가 없었던 아들에 대해 생각한다.

> 그녀의 아들은 단 한 번도 그녀에게 별개의 사람, 별개의 실제로 존재하는 사람이었던 적이 없다. 그는 항상 일종의 열정이었다. 남편과 함께

누워 그의 또 다른 아이를 갖기를 그녀가 절실히 바랐기 때문에, 그녀가 낳은 아들은 무엇보다 바라던 그녀와 메이컨 간의 연결 끈이었다. 그들을 결합하게 하고 그들의 성 생활을 하나로 이어주고 성 생활을 회복시키는 존재. (131)

아들 밀크맨에게 실연을 당한 사촌 누이이자 연인이었던 헤이가 Hagar가 그를 죽이려고 한다는 이야기는, 밀크맨을 매개로 남성적인 힘의 세계로 재진입을 꿈꾸는 루스에게 충격적인 소식이 아닐 수 없다. 루스는 밀크맨을 잃음으로써 자신이 갖고 있는 남성적 권력을 잃게 될 것을 염려하지만, 아들이 겪고 있는 정신적 충격에 대해서는 알지 못할 뿐 아니라 관심조차 없다. 사무엘스와 허드슨-윔즈는 루스가 아버지, 남편, 그리고 아들로부터 거부되었을 때 진짜가 아닌, 텅 비어 있고, 고립된 상태에 남겨지게 된다고 말한다. 왜냐하면 그녀는 혼자 설 수 있는 독립된 자아가 없기 때문이다(57). 아들을 별개가 아닌, 그리고 진짜가 아닌 존재로 여기는 그녀의 잘못된 모성은 밀크맨이 반복되는 한 가지 희미한 이미지에 시달리게 만든다. 누군가가 젖꼭지를 빨고 있고 그것이 자신임을 인식하여 식은땀을 흘리는 흐릿한 이미지, 그리고 어머니와 함께 침대에 누워 있는 두 남자들과 함께 어머니의 한 쪽 젖꼭지를 주물럭거리는 누군가가 자신이라는 사실을 그는 깨닫는다(120).

요구하지 않아도 공급되는 어머니 루스의 사랑에도 불구하고 그의 뇌리를 떠나지 않는 이 희미한 이미지는 그로 하여금 어머니에 대한 사랑의 진정성을 의심하게 한다. 그는 단 한 번도 어머니를 사랑했던 적이 없다고 말한다. 루스가 자신의 존재를 '작은 여자'라고 소개하였듯이, 밀크맨이 말하는 어머니는 사랑하기에는 실체가 없고 그림자 같은 존재이다. 그리고 그는 "그냥 자기 자신을 좋아해주는 사람"(79)을 갈망한다. 자신이 노력하지 않아도 영원할 것 같은 어머니의 사랑이 부패해 썩어 가고 있다고 느끼며, 세상에 자신을 사랑해주는 사람이 단 하나라도 있을까에 의문을 가진다. 그가 어머니로부터 충분한 사랑을 받았다고 느꼈다면, 그는 어머니와 하나임을 인식하는 동시에 별개의 존재임을 인식할 수 있었을 것이고 밀크맨이라는 별명 또한 얻지 않았을 것이다. 그는 스스로 냉정하고 명료한 사고를 할 수 있을 만큼 성숙된 자아를 가지고 있다고 믿고 있었지만, 밀크맨이라는 자신의 이름에 대해 질문을 던지기 시작하면서 다른 사람들과 섞이지 못하는 자신을 깨닫게 된다.

> 밀크맨은 자신의 눈을 꼭 감았다가 떴다. 거리는 사람들로 더 많이 붐볐고, 그들 모두는 자신이 걸어왔던 방향으로 가고 있었다. 그들 모두는 바쁘게 걸으면서 그에게 쿵쿵 부딪히곤 했다. 얼마 후 그는 반대편 거리를 걷는 사람이 아무도 없다는 것을 깨달았다. 날이 어두워진 후여서, 자동차는 없었고 가로등은 켜져 있었다. 하지만 거리 반대편의 인도는 텅 비어 있었다. 그는 모두가 어디로 가고 있는지 보려고 뒤돌아섰지만, 그들이 어디로 가는지 전혀 볼 수 없었고 어둠 속으로 길을 재촉하는 사람들의 뒷모습과 모자들밖에 아무것도 보이지 않았다. [. . .] 밀크맨은 멈추지 않고 계속 걸어갔다. 여전히 사우스 사이드Southside를 향해 그렇게 걸어가면서, 왜 자기 자신은 아무도 걷지 않는 거리 반대편 인도로 건너가지 않는지를 단 한 번도 궁금해 하지 않았다. (78-79)

한산한 거리가 아닌 붐비는 거리에 서 있는 지금, 그가 목도하는 것은 그들과 섞이지 못하고 혼자 서 있는 자신이며, 그것이 바로 자아 인식의 시작이다. 그는 다른 사람들과 섞이지 못하는 자신을 발견하게 되며, 자신과 어깨를 부딪치며 반대방향으로 바쁘게 걸어가던 사람들이 어디로 가는지 알고 싶어 뒤돌아보지만, 그들은 이미 군중들 속에 섞여 모두 제 갈 길을 가버리고 자취를 감춘 후다. 그는 사람들이 왜 붐비는 이쪽 거리로만 다니는지에 대해 질문하지만 자신이 왜 행인이 단 한 사람도 없는 한산한 거리를 걷지 않는 가에 대해서는 궁금해 하지 않는다. 그의 인식이 자신에게 질문을 던질 만큼 성숙하지 않음을 알 수 있는 대목이다.

밀크맨은 자신의 질문을 이해하고 받아 주면서 동시에 독립된 존재임을 인정하는 어머니 역할의 부재로 인해 '충만한 자아'를 형성할 수 있는 환경에 놓여있지 않다. 위니콧은 어머니와 유아 사이에는 상반되는 두 환경이 필요하다고 말한다. '대상으로서의 어머니' 역할인 융합의 상태와 '환경으로서의 어머니' 역할인 고요한 상태가 바로 그것이다. 위니콧이 말하는 융합은 어머니와 유아가 하나 되는 것을 의미하는데, 그 상태에서 건강한 어머니는 유아와 하나가 되지만 동시에 자신이 유아와 독립된 존재라는 것을 인식한다. 그리고 고요의 상태란 유아가 누군가의 도움 없이 혼자 있는 상태가 아니라, 어머니가 유아와 함께 있으면서 홀로 있는 유아의 상태를 침범하지 않고 유아가 편안하게 자기 자신에게 몰입하도록 도와주는 것을 의미한다.

그녀에게 아들 밀크맨은 모성 몰입의 대상이라기보다는 가부장적 가치의 적용대상이며, 가정 내에서 그녀는 그 가치의 전수자로서의 역할을 담당한다. 아버지의 묘 자리를 정할 때 보여준 루스의 세심함은 아들의 성장과 관련해서는 드러나지 않는다. 밀크맨이 열네 살이 되었을 즈음, 그는 한쪽 다리가 다른 쪽 다리에 비해 짧은 기형의 상태로 인해 통증을 느낀다. 그러나 루스는 그것을 단순한 성장통이라고 단정하며, 그가 신체적 결함으로 갖게 된 공격성과 자격지심을 알아차리지 못한다. 그녀는 또한 그녀가 밀크맨에게 입도록 고집한 벨벳 정장 때문에 그가 아이들과 섞이지 못하고 차가운 시선과 비웃음을 견뎌야 했다는 사실을 알지 못한다.

> 그는 어렸을 때 한 번도 저런 놀이를 해본 적이 없다. 그는 날 수 없다는 사실을 슬퍼하며 창턱에 무릎을 꿇고 앉아 있다가 일어나서는 학교에 갔고, 그가 입은 벨벳 정장는 다른 아이들과 그의 사이를 갈라놓았다. 백인들과 흑인들은 그가 지나치게 인기를 끌려 한다고 생각하고 고의적으로 그를 비웃었다. 그리고 그가 점심을 못 먹게 한다든지 크레용을 사용하지 못하게 한다든지 화장실이나 식수대에 줄을 섰을 때 앞으로 나아가지 못하도록 조처했다. (267)

메이컨과 루스가 커다란 패커드 승용차를 타고 '낫 닥터 스트리트'를 따라 드라이브할 때에도 밀크맨에 대한 무심함이 그대로 나타난다. 「『솔로몬의 노래』에 나타난 텍스트의 양면성」에서 박귀숙은 모리슨이 『솔로몬의 노래』를 통해 흑인 가부장제를 탐색한다고 주장한다. 메이컨에게 보이는 흑인 가부장제의 양상은 사적으로는 아내와 딸들을 겁주면서 공개적으로는 자신의 가족을 자랑스럽게 전시하는 것을 즐기며, 아들 밀크맨에게는 자신을 존경하라고 가르친다(346). 그들은 부유한 자신을 선망하며 바라보는 흑인들의 시선을 의식하며 그들에게 보이는 자신의 모습에만 신경을 쓸 뿐 앞좌석 부모님 사이에 비좁게 앉아 바깥세상을 제대로 볼 수 없었던 어린 밀크맨에 대해 세심하게 배려하지 못한다. 일상이 되어버린 그들의 의례적 행사는 메이컨에게는 자족감을 가져다주고 루스에게는 과시의 수단을 제공하였으나, 밀크맨에게는 금지만이 존재하는 그저 짐스럽고 불편하기만 한 일상에 지나지 않다는 것을 메이컨과 루스는 알지 못한다. 그는 어머니의 무릎에 앉아서 차창 밖의 세상을 볼 수 있었지만 아버지의 금지로 어머니의 무릎에 앉을 수 없었기 때문이다. 정형화된 메이컨 가족의 드라이브는 '큰' 집을 비롯한 '큰' 차가 루스와 아이들에게 가부장적 권력을 영속화하는 공간으로 작용하고 있음을 단적으로 보여준 것이다. 밀크맨이 집을 떠나 남부로의 여행을 통해 깨달음을 얻었듯이, 밀크맨의 누나 코린시언스 Corinthians 또한 같은 경험을 한다. 코린시언스는 자신의 배경을 숨긴 채 한 계관시인의 대필자amanuensis로 취직하는데 사실상 그녀는 그 집의 하녀이다. 그녀의 결단은 자기 내면의 벽을 스스로 허물고 진정한 자아를 대면하도록 하고 있으며, 그것은 그녀가 흑인 의사였던 할아버지의 집이자 아버지의 집인 '큰 집'을 벗어남으로써 가능했다. 카민은 코린시언스가 계관 시인의 하녀 일을 하게 되면서 "오만함을 자신감으로 바꾸어 놓을 수 있었던 점"과 그녀의 연인 포터가 "나는 아기 인형과 같은 여자를 원하지 않아요. 나는 여인을 원해요. 아빠를 두려워하지 않는 성숙한 여인을요"라고 한 말을 통해 위압적인 환경 하에서 제대로 성장하지 못한 코린시언스의 모습에 주목한다(59).

아버지 메이컨 역시 자녀의 심리적 안정과 건강한 성장보다는 물질주의와 자본주의에 기초한 가치들에 더 치중한다. 밀크맨에게 강요되는 아버지의 또 다른 금지는 파일럿과 그 가족을 멀리하는 것이다. 아버지가 저주하고 두려워하는 파일럿과 그 가족을 처음 만난 순간, 밀크맨은 그들의 모습이 자신의 삶과 크게 다르다는 사실을 알게 되고, 그때서야 비로소 자신이 성장하면서 인식하지 못했던 결핍을 인식하게 된다. 아버지 메이컨은 "네가 소유한 재산이 다른 것을 소유하게 만들어라. 그러면 너 자신의 것과 다른 사람의 것까지 소유하게 될 것이다"(55)라고 아들에게 주입시키기도 하고, 마음이 불안할 때면 주머니에 든 열쇠 꾸러미를 움켜쥐며 스스로 마음을 안정시키는 행동을 하기도 한다. 카민은 자신의 아버지의 목표가 한 순간에 사라지는 것을 눈앞에서 목격한 메이컨이 부, 그 자체를 목표로 삼고 그것을 인간관계보다 더 가치 있는 것으로 보게 되었다고 말한다(50). 그런 메이컨과는 달리, 파일럿과 그녀의 가족들은 밀크맨이 바라만 보고 있어도 좋을 것 같은 감정이 들게 하고, 가난하지만 충만한 느낌을 주며 함께 시간을 보내며 깔깔 웃을 수 있게 만드는 사람들이다. 또한 그는 어머니의 회고를 통해 파일럿이 메이컨의 위협으로부터 밀크맨의 생명을 지켜낸 장본인이라는 사실을 알게 된다. 과거 파일럿은 새 생명이 보내는 신호에 귀 기울여 루스의 입덧을 해결해 주었고, 아기를 보호하는 다양한 조처와 함께 메이컨의 마음을 다스리기 위한 주술적 의미의 인형을 만들어 메이컨에게 처방함으로써 밀크맨에게 일어날 수 있는 불행을 미리 막아준다. 메이컨은 파일럿이 사람의 마음을 매혹시킬 수 있지만 결국 치명적인 상처를 주는 뱀과 같은 존재라고 밀크맨에게 주입하지만, 그녀에 대해 느끼는 메이컨의 내면 상태는 실제 그의 말과는 다르다. 카민은 메이컨의 상태가 영안실과 같은 조용한 집과 장의용 자동차와 같다고 언급하면서, 그가 집밖으로 흘러나오는 파일럿의 노래 소리를 들으며 그녀의 집 앞에 서 있을 때 정신적인 안정감을 느꼈음을 지적한다(50).

파일럿과의 첫 만남이 밀크맨에게 따뜻하면서도 강한 인상을 남겼음에도 불구하고, 부모의 영향력으로부터 벗어나기 위해 방법을 모색하는 밀크맨의 모습에서 그가 자신의 부모와 조금도 다를 바 없음을 확인할 수 있다. 남성적 권력에 의존하는 어머니와 그 권력을 휘두르는 아버지의 양육 환경 하에 성장한 밀크맨은 그들의 뜻에 순응하는 듯 보이지만 실제로는 그들을 불신한다. 그들의 통제로부터 벗어나기 위한 수단으로써 돈이 필요하다고 생각한 밀크맨은 아버지의 제안에 따라 황금이 들어 있다고 여겨지는 파일럿의 자루를 훔치기로 계획한다. 그는 아버지의 제안에 순응하면서도 자신이 가장 가까워야 할 부모로부터 이용당해 왔다고 느낀다.

> 자신의 심장을 숨겨 놓은 주머니 깊은 곳에서, 그는 자신이 이용당해왔다는 감정을 느꼈다. 어떤 이유에서인지 모든 사람들이 어떤 목적으로

또는 어떤 수단으로 자신을 이용하고 있었다. 그들이 꾸며낸 어떤 음모를 자신에게 행사하면서, 그들은 자신을 그들이 가진 부, 혹은 사랑, 혹은 순교의 꿈에 종속된 존재로 만들었다. 그들이 행한 모든 일이 밀크맨 자신에 관한 것인 듯 했지만, 자신이 원하는 어떤 것도 그것에 포함되어 있지 않았다. (166)

밀크맨은 자신이 믿고 의지하는 가장 가까운 사람들로부터 관계가 차단당하거나 박탈당하는 경험을 한다. 밀크맨이 겪는 관계의 실패는 위니콧의 이론에서 볼 때 초기 유아와 어머니의 관계 실패에 그 원인이 있다. 아이는 어머니와 자신이 별개임을 인식하면서 통합된 감정을 느끼는 '배려의 단계'에서 어머니로부터 좋은 경험을 상실할 때 '박탈'deprivation[7]을 경험한다(고메즈 155). 어머니로 인해 생긴 밀크맨이라는 별명이 그와 세상 간의 간극을 만들었고, 아버지의 금지와 제안 그리고 밀크맨의 오랜 친구인 기타의 불신은 더더욱 그러하다. 은밀한 쾌락을 들키는 순간 당황하는 어머니의 모습과 자신을 따뜻하게 맞아 준 파일럿에게서 황금이 든 자루를 훔쳐올 것을 종용하는 아버지의 모습을 보면서 그는 그 행위의 중심에 자신이 연루되었다는 사실에 수치심을 느낀다. 그리고 자신을 배신했다고 믿는 기타의 오해로 인해, 다음 단계로 성장할 수 있도록 도와주는 모성적 힘을 발휘하는 파일럿을 잃게 된 것은 밀크맨에게 있어 치명적인 손실이다.

밀크맨에게 크게 다른 두 모성의 형태를 보여준 루스와 파일럿은 앞서 언급한 제럴딘과 에바와 달리, 밀크맨에게 깨달음을 주거나 또는 모성

---

7) 이 같은 상실이 오래 지속되면 부모나 세계에 대한 신념이 깨지게 되고 절망감이라는 고통에 빠지게 된다. 결국 아이는 위험이 오기 전에 앞서 행동을 취하려 노력을 하는 과정에서 스스로의 욕구보다 외적욕구에 더 반응함으로써 진실한 욕구, 사랑, 분노를 가진 관계가 불가능해진다. 아이가 세계로부터 긍정적인 반응을 얻을 수 있다는 희망을 품게 될 때, 박탈에 대항하려는 반사회적인 행동을 보인다(고메즈 156).

에 대해 이해할 수 있게 한 존재로 자리매김한다. 밀크맨과의 여정에서 죽음을 맞은 파일럿이 죽음 앞에 초연할 수 있는 것, 그리고 상실과 좌절 속에서 루스가 삶을 지탱할 수 있었던 것 모두 모성적 힘 때문이다. 보험회사 직원이던 스미스 씨의 자살소동에서 그의 죽음을 슬퍼하거나 안타까워하지 않고 노래를 부르던 파일럿의 모습에서 알 수 있듯이, 파일럿은 죽음과 삶을 구분하지 않은 아프리카인의 태도를 갖고, 고된 현실을 노래로 위로하던 아프리카 문화유산을 간직하고 있는 모성이며, 따라서 루스의 모성에 도움의 손길을 줄 수 있는 인물이다. 사무엘스와 허드슨-윔즈는 밀크맨이 어머니를 비존재로 여기고 있는 점을 지적하면서도 그가 술라나 피콜라처럼 파국에 이르지 않는 이유에 대해 끈질긴 무언가를 내포한 '모성' 때문이라고 주장한다(58). 부재한 모성으로 필자의 분석대상이 되어온 루스는 성장한 밀크맨의 깨달음으로 인해 자녀로부터 이해받는 어머니가 된다. 이 점은 루스의 모성을 가능하게 한 파일럿의 모성이 있었기 때문에 가능했으며, 우리로 하여금 루스의 모성과 대비를 이루는 파일럿의 모성에 주목하게 함으로써 흑인 모성부재를 해결하는 실마리를 제공한다.

6 모성부재의 극복: 기타와 밀크맨

앞장에서 살펴본 바와 같이, 모성부재로 인한 상처와 남성적 힘에 대한 갈망, 그것으로 인한 좌절에 집착은 결국 가정파괴의 주범이 된다. 이처럼 모리슨의 작품에 그려진 남성들 대부분은 그 존재 자체가 미미하거나 술, 마약, 여자, 그리고 도박 등을 통해 가짜 희망을 품는 사람들이다. 이들 남성들의 문제를 포함한 미국의 인종문제에 대해, 코넬 웨스트Cornel West는 이 문제를 보다 진지하게 다루기 위해서는 흑인 문제를 다루기보다는 역사적 불평등과 오랜 기간 지속된 문화적 고정관념에 뿌리를 둔 미국사회의 결점을 다루는 연구가 선행되어야 한다고 강조한다(6). 따라서 이 장에서는 모리슨의 작품에서 끊임없이 제기되는 인종문제와 관련된 미국사회의 결점을 확인하고 성장배경이 다른 두 흑인 소년들이 자신들에게 주어진 불합리한 삶을 수용하는 방식을 통해 흑인 문제의 해결점을 모색하게 될 것이다.

『솔로몬의 노래』의 두 주인공 기타와 밀크맨은 모성부재로 인해 가족 또는 타인과의 관계형성에 실패하여 직대직이고 공격적인 성격을 지니게 되었다. 소설의 전개과정에서 이들이 겪은 모성의 부재가 드러나는 여러 경우가 묘사된다. 기타의 경우, 어린 시절 그가 느낀 사탕의 단맛은 구토의 느낌, 죽은 사람, 그리고 백인의 이미지를 떠올리게 하는데 그것은 어머니의 빈자리와 관련이 있다. 단맛에 대해 부정적인 이미지를 떠올리는 기타의 모습은 사탕을 먹음으로써 자기 부정을 정당화하는 피콜라의 모습과는 대조된다. 피콜라는 야코보스키 씨의 시선아래 수치심을 느끼고 당황하지만, 메리 제인 사진이 있는 사탕을 입에 넣는 순간 그의 멸시가 자신의 추함 때문이라고 해석하고 그 사탕을 먹음으로써 백인 소녀가 될 수 있다는 환상을 품는다(차민영 「흑인성 상실」 270). 반면 기타의 단맛에 대한 부정적인 이미지는 기타의 어린 시절 아버지의 죽음과 관련이 있다. 제재소에서 일하던 기타의 아버지는 목재가 잘리듯 몸이 잘려 사망하게 되는데, 그런 아버지의 죽음을 위로하기 위해 소장의 아내는 아주 단맛이 나는 사탕을 만들어 기타에게 가져온다. 아버지의 죽음을 단맛이 나는 사탕으로 위로하려는 사람은 있었지만, 그와 함께 슬픔을 나누는 어머니의 모습은 보이지 않는다. 또한 기타는 보험회사 직원인 스미스Robert Smith의 자살소동을 할머니와 함께 지켜보는데, 이것은 그가 어머니가 아닌 할머니의 손에 양육되었음을 추정하게 한다. 그리고 밀크맨의 아버지 메이컨Macon이 세입자인 기타의 할머니에게 모질게 세를 독촉하는 상황에서도 사정을 봐달라며 메이컨을 설득하는 할머니의 모습은 보이지만 어머니의 모습은 보이지 않는다. 박경순은 「존 보울비와 애착이론」에서 보울비의 애착이론이 크게 안정애착과 불안정애착으로 양분된다고 밝히고, 이 같은 구분이 어린 시절 어머니와의 관계에 따른 것이며 유아와 어머니간의 관계가 그 이후의 관계 양상에 많은 영향을 미친다고 보았다(111). 보울비의 주장에 따르면, 불안정애착 아동은 세상을 위험한 장소, 즉 다른 사람들을 매우 주의 깊게 다루어야 하는 곳으로 간주하고 자기 자신을 사랑 받을 가치도 없고 쓸모도 없는 존재로 가정한다(박경순 112). 이러한 가정은 오래 지속되는 양상을 보이는데, 특히 어린 시절 형성된 가정들에 더욱 오래 지속되며, 후에 겪는 여러 가지 경험들로 수정될 가능성이 거의 없다(박경순 112)는 점에서 심각성을 지닌다. 기타가 겪은 모성의 부재는 밀크맨과 공감대를 형성하여, 밀크맨보다 나이가 다섯 살이 많은 그가 밀크맨에게 형이자 친구이고 또한 아버지와도 같은 역할을 한다. 그들은 서로에게 가족사의 비극과 고민을 털어 놓을 수 있는 유일한 존재이면서 동시에 함께 한다면 어떤 위험부담도 감수할 수 있는 상호의존적인 존재이다. 기타의 어린 시절의 경험은 그에게 백인에 대한 극단적인 적대감과 하층 흑인에 대한 연민, 그리고 중산층 흑인에 대한 불신을 심어 놓았다. 이수현은 흑인들의 지배문화 적응방식이 '동일화'와 '거부', 그리고 그들의 심리적 충동이 '동화'와 '흑인 민족주의'로 교차되어 왔음을 밝힌다(차민영 「흑인성 상실」 270 재인용). 밀크맨은 흑인의 미래를 염려하며, 백인과 함께 살아갈 흑인의 미래가 아닌 적대적 대상으로 백인을 정의하고 백인이 제거된 그들만의 미래를 구상한다. 모리슨은 『술라』를 통해 수치심과 트라우마로 점철된 흑인의 삶을 묘사하는데, 작품에 나타난 흑인들의 삶은 백인들이 악으로 여기는 '통제되지 않는 삶'과 동일시되는 세계, 지혜와 같은 끔찍한 대가를 치르지 않고는 흑인의 생존이 보장되지 않는 세계, 그리고 흑인이 부당함에 대해 분노를 표현한다는 것이 곧 자기 파괴임을 증명하는 세계이다(Bouson 49).

이 같은 흑인의 세계에 노출되어 온 기타는 백인에 대해서는 무차별적이고 살의적인 공격성을 표출하면서 흑인에게는 무한한 신뢰를 표출하는데, 이것은 그가 어린 시절 맺은 관계의 발달 및 좌절과 관련이 있다. 멜라니 클라인은 발달을 관계성의 관점으로 이해하였고, 따라서 아이는 자신이 관계하는 세상을 좋음과 나쁨으로 이해한다. 아이는 자신을 좋은 대상과 나쁜 대상 중 어느 한쪽에 위치시킨 후, 그 대상들과 다양한 관계를 맺으면서 다양한 모습의 자기 자신을 좋은 자신 또는 나쁜 자신과 같은 방식으로 새롭게 자리매김한다. 클라인은 관계를 통한 아이의 다양한 경험방식을 설명하기 위해 편집시기, 분열시기, 그리고 우울시기라는 용어를 사용한다(차영민 297). 클라인은 단계적인 시기 구분법을 통해 아이와 어머니가 맺는 관계가 부분 대상과의 관계에서 전체 대상과의 관계로 옮겨가는 '성숙과정'을 겪는다고 설명한다.

기타는 자신의 내부의 공격성을 외부로 옮겨 놓고 자신이 정한 나쁜 대상에게 적대감을 표출하는 반면, 좋은 대상에게는 사랑의 감정을 투사하여 신뢰를 느낌으로써 자신을 파괴하려는 내부의 위협과 투사된 대상이라는 외부의 위협으로부터 벗어나려 한다. 클라인의 이론에 따르면, 유아는 생애 처음 순간부터 자신을 공격하는 근본적인 파괴성을 처리하기 시작하는데, 자신을 향하는 타고난 본능적 공격성의 일부를 자신으로부터 외부 대상에 옮겨 놓는 방식으로써 '나쁜 젖가슴'을 만들어 낸다. 유아는 악한 것이 자신의 내부가 아닌 외부에 있을 때 도망갈 수 있기에 덜 위험하다고 느끼며, 도망치면서 나쁜 젖가슴을 파괴하려고 하는 편집시기를 위하게 된다(최영민 300). 유아가 내면에 가지고 있는 파괴적 공격성은 모두 외부로 투사되어 나에게 적대적인 것은 모두 악이 된다. 투사의 결과 외부세상은 악으로 가득 차게 되고 유아는 견딜 수 없는 상황에 놓이게 된다. 그때, 유아는 즉각적으로 '일차 자기애'에 담겨있는 사랑의 충동을 외부로 투사해서 '좋은 젖가슴'을 만들어내어 피난처로 삼는다. 유아의 평정은 이 두 세계를 얼마나 잘 떼어 놓는가 하는 능력에 달려있기 때문에, 좋은 대상을 나쁜 대상으로부터 떼어 놓음으로써 좋은 대상이 파괴되는 것을 막으려는 시도를 하는 때가 분열시기이다(최영민 302).

부모의 적절한 돌봄 하에서 유아는 편집과 분열시기에서 벗어나 다음 단계로 이동하려는 노력을 하게 된다. 유아는 나쁜 부분 대상과 좋은 부분 대상을 별개의 것으로 보던 것에서 벗어나 전체 대상과 관계함으로써, 어머니의 좋음과 나쁨이 늘 일관될 수 없음을 깨닫게 되고 자신이 외부와 내부의 파괴성에 의해 소멸될 것이라고 느끼는 심리도 사라지게 된다. 따라서 유아는 박해심리로부터 벗어나 파괴적인 공격성을 적절히 다룰 수 있게 된다. 부모의 적절한 돌봄은커녕 아버지의 충격적인 죽음에서부터 흑인에 대한 린치와 희생을 경험한 기타는 자기 내면의 공격성을 무차별적인 방식으로 백인 전체에 투사하고 그들 전체를 나쁜 대상으로 규정한다. 기타에게 백인들은 나쁜 존재를 넘어 자신에게 위협을 가하는 존재이며, 그 나쁜 존재에 대해 그는 파괴적인 보복환상을 갖는다. 기타는 좋은 대상과 나쁜 대상을 엄격하게 구분한다. 그는 좋은 대상으로서의 흑인들이 나쁜 대상인 백인들로부터 공격을 받아 파괴되는 것을 두려워하기 때문에 분리라는 방어기제를 사용한다. 기타가 흑인의 희생을 염려하고 있지만 궁극적으로는 자기 자신에 대한 파괴를 두려워하고 있다는 점에서 볼 때, 기타는 클라인이 파괴적인 공격성을 처리하는 대표적인 방식이라고 본 것들 중 하나인 편집 분열시기[8]를 취함과 동시에, 대상 손상에 대한 불안이라는 점에

8) 죽음 본능과 파괴적 공격성이 유아심리의 중심적인 역할이라고 본 클레인은 파괴적 공격

서 우울시기 또한 취한다.

기타에게 나타나는 대표적인 병리 현상[9]은 피해망상이며, 따라서 그의 일상생활은 기본적으로 편집, 분열시기에서 경험된다. 편협한 피해망상에 사로잡힌 기타는 백인들을 나쁜 대상으로 규정하고 그들을 무작위로 살해하여 흑인과 백인의 비율이 같도록 해야 한다고 주장한다. 흑백 비율이 같지 않는 경우에 대하여 기타는 "과거와 똑같이 된다면 세계는 동물원이 될 테고, 난 그런 세계에서 살 수가 없겠지"(156)라고 말한다. 좋은 부모의 돌봄을 받은 경우 나쁜 대상으로부터의 파괴적인 공격을 적절히 다룰 수 있으나, 기타의 경우 그 공격성을 적절히 다룰 수 없으므로 그의 외부세계는 자신을 공격하는 나쁜 대상들로 가득하게 된다. 밀크맨과의 대화에서 기타는 백인들을 재미로 흑인을 죽이는 부자연스러운 인간들이라고 생각하는 반면, 흑인들은 아무 백인이나 잡아다가 썰어 죽이지는 않는다고 말한다. 기타는 "백인들의 질병은 피 속에 있으며 염색체 구조 속에 있다"(158)고 말한다. 그에게 백인이라는 존재는 "잠정적인 깜둥이 살인자"(156)이기 때문에 자신이 소속된 "결사단이 무작위로 비슷한 희생자를 골라서 가능한 비슷한 방식으로 처형해야 한다"(155)고 말한다. 「『솔로몬의 노래』의 생태주의 읽기」에서 권혁미는 기타의 긍정적인 모습, 즉 과거 남부에서의 사냥을 추억하며 새끼 밴 암컷을 사냥하지 말라고 밀크맨에게 훈계하

성과 그것과 연관된 환상들을 처리하는 것을 가장 시급한 과제로 보았으며, 그 대표적인 방식이 편집과 분열시기paranoid-schizoid position와 투사적 동일시projective identification이다(최영민 286).

9) 기타의 행동 특징과 관련하여 편집, 분열시기의 대표적인 병리적 현상들을 정리해보면 크게 네 가지로 요약될 수 있다. 먼저 현실을 부정하고 지나친 투사와 그것으로 인한 망상증이 생긴다. 또한 병적으로 심한 분리 기제를 사용한 결과 파편화가 일어나고, 전반적인 분리와 조각난 대상의 재합침으로 혼란상태가 초래된다. 마지막으로 분열적 성격형성의 영향으로 감정이 얕고 대상을 적대적으로 경험하려는 경향을 보이며, 대상관계를 철수하고 표면적인 사회적응에 머물게 된다(최영민 308).

고, 여러 명에게 폭행당하는 밀크맨을 구해주며, 밀크맨에게 집착하는 헤이거에게 연민을 보이는 모습을 언급한다. 그런 다음, 그녀의 초점은 북부 도시의 척박한 환경 속에서 검은 피부를 지닌 사람 이외에는 모두 적으로 규정하고 증오를 표출할 기회만을 찾는 기타의 변화로 옮겨 간다(7). 밀크맨은 기타의 폭력적인 행동이 가장 나쁜 인간들인 백인들이 하는 행동을 그대로 따라하는 것이라고 지적하지만, 기타는 자신이 저지르는 폭력을 정당화시킨다. 백인들은 재미로 또는 돈을 목적으로, 또는 흑인에 대해 분노의 감정을 가지고 흑인을 살해하는 부자연스러운 존재이자 나쁜 존재라는 것이다. 그는 백인들이 흑인들에게 저지르는 집단린치를 비난하면서 "나는 아무리 취해도, 아무리 지겨워도 그런 일에는 가담하지 않아. 그리고 너도 마찬가지이고, 내가 알거나 또는 여태껏 들어 왔던 어떤 흑인도 그런 짓을 할 리가 없어. 어떤 세상, 어떤 시대라 하더라도, 썰어서 죽일 백인을 찾아 나서지는 않을 거란 말이야"(157)라고 말하면서 좋은 대상으로서의 흑인과 나쁜 대상으로서의 백인을 엄격히 구분한다.

기타와 달리 밀크맨은 중산층 흑인 가정에서 태어났으며, 돈을 쫓는 아버지와 흑인 의사의 딸로 살아오면서 돈과 권력이라는 남성적 힘에 절대적으로 의지하여 자신의 존재를 확인해온 어머니에 의해 양육된다. 그는 자신의 종족 자체에 관심이 없기 때문에 기타가 말하는 백인에 대한 지나친 적대감을 이해하지 못하고, 백인과 흑인간의 마찰에 대해 다소 객관적인 입장을 취하기도 한다. 그의 입장은 북부와는 크게 다른 남부의 현실과 그의 성찰에 기반을 둔 것이 아니기 때문에, 밀크맨의 남부로의 여행은 자신의 겉모습에 담긴 백인의 모습을 확인하고 자기성찰을 하는 기회가 된다. 모리슨의 소설에서 등장인물들이 남부에서 북부로, 혹은 그 역방향으로 여행하는 과정에 대해, 권혁미는 그것이 심오한 사회적, 심리적 의미를 지닌다고 주장한다. 그 주장에 따르면, 『솔로몬의 노래』에서 북부의 등장 인물은 건강한 정체성을 형성하는 과정에서 남부로 이동하여 자연과 조상의 과거에 접근하게 되고, 따라서 긍정적인 의식단계로 진입하게 된다(1). 밀크맨이 남부 샬리마Shalimar에서 오마르Omar와의 산행을 마치고 난 후 기디와 밀크맨 간의 역할관계에 변화가 생기는데, 증오의 감정으로 편협해진 기타와 달리 밀크맨은 주변과의 관계를 인식할 만큼 성숙해진다. 샬리마에서의 야간 산행은 밀크맨에게 부분이 아닌 전체로서의 대상과 새롭게 관계를 맺는 결정적인 계기를 마련하는데, 이것은 밀크맨의 성장에 결정적인 역할을 하게 된다. 고장 난 차를 마치 위스키 한 병 다시 사듯 쉽게 갈아치우려하는 밀크맨과, 자신들을 '저 사람'이라 칭하는 밀크맨을 증오의 눈길로 바라보던 샬리마의 젊은 흑인 남성들 사이에 불화가 일어난다.

> 밀크맨의 몸가짐과 옷차림은 이곳의 젊은 흑인 남성들이 자신 소유의 작물이나 땅이라고 할 만한 것이 전혀 없다는 사실을 상기시킨다. 단지 여자들이 돌보는 야채밭 정도에, 아이들이 돌보는 닭과 돼지들이 있을 뿐. 그는 그들에게 사내가 아니라고, 여자나 아이들한테 양식을 의지하는 놈들이라고 말하고 있었다. [. . .] 그들은 밀크맨의 피부를 보고 그것이 자기네들만큼 시커멓다는 사실을 인정하지만, 그들은 그가 이름도 얼굴도 알 필요 없는 노동자가 필요할 때면 트럭을 타고 와서 그들을 싣고 가던 백인들과 같은 심장을 가졌다는 것을 알고 있었다. (269)

검은 외모는 같지만 백인들의 행동을 그대로 닮아 있는 밀크맨과 사회적으로 거세된 남부 흑인 남성들 간의 불화는, 흑인과 백인간의 괴리가 인종의 문제가 아니라 경제적 여건에 따른 계층의 차이이며 문화의 차이에서 상당 부분 기인한다는 사실을 암시한다. 밀크맨은 자신을 죽을 뻔한 위기로 몰고 간 흑인들에 대해 "목매달지 않은 이 세상 깜둥이들 중에서 가장 치사한 부류들"(273)이라고 전형적인 백인들처럼 말한다. 밀크맨과 샬리마의 젊은 청년들 사이의 칼부림을 지켜보던 나이 지긋한 오마르가 밀크맨에게 엽총을 다룰 줄 아냐는 질문과 함께 산행을 제안하였고, 밀크맨은 '명사수'라고 거짓말을 하여 오기로 그 제안을 받아들인다. 백인들의 기준을 내면화한 그가 산행을 감행하면서, 자신이 성장하면서 받았던 부당한 대접들이 자신의 "무지와 허영"(279)이라는 내면의 불구 때문임을 깨닫게 된다. 그는 자연과의 교감을 시작했고 그 소리에 귀 기울이는 것을 배우게 됨으로써 기타의 살의로부터 목숨을 구할 수 있었다. 기타로부터 생명을 위협받던 순간, 밀크맨의 엽총의 방아쇠가 당겨졌고 사람들이 달려왔다. 밀크맨은 더 이상 거짓을 말하거나 오기를 부리지 않고 자신이 별 볼일 없는 존재임을 감추지 않는다. 함께 산행을 한 일행들 또한 악의를 내려놓고 그를 한껏 놀려대었고 밀크맨은 그들의 비웃음과 야유에 너스레를 떨 수 있는 성숙함을 갖추게 되었으며, 그동안 허세를 부리며 감추고 싶었던 자신의 다리가 산행 이후 더 이상 절지 않게 되었음을 느낀다. 「아프리카니즘과 성숙의 의미: 『솔로몬의 노래』」에서 백낙승, 안경미는 사냥꾼들이 밀크맨에게 건네준 스라소니의 심장을 먹는 행위가 용기와 힘을 상징하는 아프리카의 전통적인 사냥의식임을 소개하면서, 사냥을 성공적으로 끝낸 후 밀크맨이 더 이상 다리를 절지 않게 된 정황에 대해 자연에 의한 치유이자 건강한 인간관계에 대한 가능성을 상징한다고 분석한다(54). 야간 산행을 감행한 일행 모두는 자연 속에서 대상의 부분이 아닌 전체를 볼 수 있는 기회를 갖는다.

카민은 크리스찬의 「커뮤니티와 자연」을 인용하여, 모리슨이 등장인물들의 이야기에 우화의 도덕적인 영향을 주기 위한 장치로써 자연을 사용하며 자연과의 교감이 소설의 중심을 이룬다고 말한다(49). 그리고 자연과의 교감을 통해 얻게 된 자연스러운 것과 부자연스러운 것 간의 상호작용이 밀크맨의 시야를 확장시켰다고 말한다. 그뿐 아니라 그 상호작용이 단어의 해석을 확장시킴으로써 그의 도덕적 발달에 필수적인 것이 되었으며, 특히 '폭력이 자연스러운 것인가 아닌가'라는 문제가 관점과 언어에 달려있다고 말한다(Carmean 49). 그가 산행을 통해 새로운 언어에 귀를 기울이면서 얻게 된 새로운 관점은 자신의 삶의 비정상적인 요소들과 인물들을 새롭게 볼 수 있는 시야를 제공했다. 그는 부모님과 누나들을 미워했다는 것에 수치심을 느끼게 된다. 무엇보다 어머니에 대한 부정적인 생각을 떨쳐버리고 긍정적인 면을 이해하게 되었다는 점은 다시금 그가 부분 대상이 아닌 전체로서 대상을 인식하는 성숙단계에 이르렀음을 말해준다.

> 어머니의 고요하고 일그러진 변명하는 듯한 미소. 부엌에 있던 어머니의 가망 없는 절망. 스무 살에서 마흔 살까지 어머니 인생의 화려한 전성기는 밀크맨의 생명이 시작되었던 단 한 번의 성교를 제외하고 성관계를 하지 않은 날들이었고, 그 나머지 삶 또한 그것과 마찬가지였다. 그녀가 그 사실을 그에게 말했을 때 그는 그 당시에는 많은 생각을 하지 않았으나, 이제 그런 성적 박탈감이 어머니께 끼친 영향과 상처를, 더 자세하게 말하자면 그 자신이 그 영향과 상처를 받는 것처럼, 자신의 것처럼 느낄 수 있었다. (530)

편집, 분열시기의 극복은 밀크맨에게 좋은 대상과 나쁜 대상을 별개의 것으로 보는 것이 아니라 전체 대상으로 받아들이는 것을 가능하게 만들었으며, 어머니와 같이 큰 자연과의 교감을 통해 성장과 발달에 있어 성숙의 단계에 이르게 된다. 클라인은 유아가 전체 대상과 관계를 맺게 되면서 어머니의 좋고 나쁨이 항상 일관되게 나타날 수 없다는 것을 깨닫게 되고, 이러한 인식은 유아로부터 박해 불안을 덜어줌으로써, 자신이 나쁜 대상으로부터 파괴되지 않을 것이라는 자신감을 심어준다고 말한다(최영민 310).

모리슨이 자연과의 교감을 통해 성장과 발달에 대한 해답을 찾았던 것에서 알 수 있듯이, 그녀는 경제력에 의한 사회적 지위의 상승이라는 계층의 문제가 그들이 직면한 또 다른 문제들에 대한 해답이 되지 못한다는 것을 작품을 통해 말하고 있다. 모리슨은 메이컨이 가장으로 있는 부유한 데드 가와 파일럿이 밀주를 팔아 생계를 유지하는 또 다른 데드 가의 이야기를 중심부에 배치한다. 밀크맨은 가난하지만 가족의 온기로 충만한 파일럿의 가정에 마음이 끌리지만, 정작 파일럿의 손녀인 헤이거는 부유함과 인습적인 것으로부터 거리가 먼 자신의 삶 속에서 느끼는 경제적 궁핍과 정신적인 허기를 "배가 고팠던 적도 있었어요"(78)라는 말로 대신한다. 할머니와 엄마가 자신의 요구를 들어주려고 애쓰고 있다는 것을 알고 있고 감사하게 생각하지만, 실제로 그녀는 그들을 창피하게 생각한다. 파일럿은 손녀인 헤이거가 원하는 삶을 엄마인 레바나 할머니인 자신이 줄 수 없다고 단정하고, 헤이거를 위해 오빠 메이컨을 찾기로 결정한다. 메이컨은 자신과 다르게 살고 있을 것이라고 여겼고 그녀는 자신과 아주 다른 그의 삶, 즉 "부유하고 인습적이고, 헤이거가 부러워하는 것들과 사람들"(151)이 필요했다.

파일럿은 일반사람들이 가지고 있지 않거나 경험해보지 않은 세계에 대한 치유의 힘과 확신을 가지고 있다. 그녀는 자신의 주술적인 힘을 이용하여 루스가 메이컨의 마음을 얻도록 도왔고, 그의 위협으로부터 밀크맨의 목숨을 구하기도 했다. 또한 그녀는 실제로 보기 전에는 도저히 믿을 수 없는 경험을 통해 '믿어주고 안아주는 힘'이 다른 사람의 삶의 끈을 지탱해 줄 수 있다는 것을 알게 된다. 파일럿은 자신의 집을 방문한 밀크맨과 기타에게 언젠가 버지니아에서 어느 부부의 빨래를 해주던 시절 겪은 기이한 경험을 이야기한다. 끔찍하리만큼 안색이 안 좋은 남자가 파일럿이 일하는 부엌으로 들어서면서 금방이라도 절벽에 떨어질 것 같다는 절박한 심경을 토로했다. 처음엔 믿지 않았지만 문을 잡고 의자를 잡으며 쓰러지지 않으려고 안간힘을 쓰는 그의 모습을 본 그녀는 자신이 붙잡아 줘도 되겠냐고 물었고, 그의 간절한 눈빛에 그녀는 그의 등 뒤로 돌아가서 그 사람 앞가슴에 깍지를 끼고 꼭 안아 주었다. 그가 안정을 찾아갈 즈음, 그 남자의 부인이 들어와서 그들의 행동을 의심했기 때문에 파일럿은 그를 지탱하던 손을 놓지 않을 수 없었다.

> "그의 아내가 당장 믿어주지 않았지. 하지만 내가 손을 놓자마자, 그는 대단히 무거운 것이 떨어지듯 방바닥에 풀썩 쓰러졌단다. 그의 안경과 가진 모든 것이 박살이 났지. 정면으로 얼굴을 바닥에 부딪쳤어. 그런데 이거 아니? 얼마나 천천히 쓰러졌는지 모른다. 맹세컨대 3분이었어. 그가 똑바로 서있던 자세에서 그의 얼굴을 바닥에 부딪칠 때까지 3분은 족히 걸렸단다." (41)

인습적인 틀에 얽매이지 않는 파일럿은 다른 사람들의 절박함을 감각으로 포착하고 그들의 문제에 대해서는 "타고난 치유자"(150)로서의 역할을 하지만, 딸 레바와 손녀 헤이거에게 그녀의 치유 능력은 제 기능을 발휘하지 못한다. 메이컨의 회상에 의하면 남매인 메이컨과 파일럿의 어머니는 메이컨이 네 살 때, 파일럿을 출산하다가 사망한다. 모성경험이 전무한 파일럿은 모성에 집중하기보다는 죽은 아버지의 목소리에 집중하면서 "사람에 대한 책임"이라는 문제에 매달린다. 그녀의 모성은 방임적이면서도 지나치게 소유욕이 강하거나 폭력적이며 진지함이 결여되어 있다. 그 몇 가지 사례들을 열거해보면, 먼저 레바가 생후 6개월이 되던 해, 파일럿은 남편과 시어머니의 만류에도 불구하고 레바를 그들에게 맡기고 떠난 후, 큰 자루 하나를 들고 한 달이나 지나서 돌아온 적이 있었다. 또한 레바가 남자친구로부터 맞고 있다는 소리를 들으면 사실여부를 확인하지도 않고 득달같이 달려가 날카로운 칼끝을 그 남자의 심장 가장자리에 교묘하게 찔러 넣는다. 그녀의 그로테스크한 모성은 파일럿에게 속한 것을 함부로 건드리면 안 된다는 사실을 레바의 상대자에게 주지시킨다. 게다가 밀크맨으로부터 냉혹한 실연을 경험한 헤이거가 그에 대한 집착을 버리지 못하고 그를 죽이기 위해 그를 찾아 거리를 헤맬 때, 파일럿은 채찍과 폭언으로 그녀를 다스린다. 카민은 파일럿이 죽음과 인간 탐욕에 의해, 그리고 배꼽이 없다는 것을 사람들이 알게 되었을 때 그녀가 느낀 터무니없는 공포에 의해 사람들과의 관계를 단절하였으며, 그녀의 인간관계 결핍이 도덕적 강점을 발달시키도록 강요하였다고 주장한다(55). 마지막으로 파일럿은 헤이거가 어렸던 시절, 그녀가 과도하게 표출했던 지저분한 환경에 대한 거부감, 허영기와 오만함, 그리고 과도한 요구들을 모성 결핍의 문제로 접근하여 해결점을 찾으려 하지 않고, 오빠 메이컨을 찾아 그의 삶, 즉 자신과 다른 그의 물질적인 삶을 통해 헤이거를 치유하려고 시도하는 오류를 범한다. 파일럿이 보이는 모성의 양태를 종합해보면 파일럿 개인만의 문제가 아니라 출생 직후부터 시작된 모성부재와 생득적 신체결함으로 인한 관계의 단절, 그리고 모성경험 부족으로 인한 오류들에 기인하는 것을 알 수 있다. 동굴에서 금을 갖고 가자는 메이컨의 주장에 맞서 유골을 수습하는 파일럿의 도덕성은 인간의 취약점을 점검하게 한다는 카민의 주장(55)도 일리가 있지만, 이 작품은 파일럿의 그러한 도덕적인 강점이 그대로 자녀의 양육에 적용되어서는 안 된다는 것을 알려주고 있다.

이와 같이 자녀에게 있어 파일럿의 현실적 치유자로서의 불능에도 불구하고 모리슨은 모성부재와 결핍을 겪은 많은 등장인물들, 즉 메이컨과 루스, 페비의 헤이기, 기다와 밀크맨, 그리고 파일럿 중에서 밀크맨의 성장을 지켜보는 모성적 인물로 파일럿을 지목한다. 「토니 모리슨의 『솔로몬의 노래』: 밀크맨의 자아성찰과 모성의 관계」에서 차민영은 모리슨이 끊임없이 제기하는 화두가 미국 흑인 공동체의 온전한 정체성 구현임을 밝히면서, 흑인 남성인 밀크맨의 자아성장에 기여한 흑인 여성들 중 특히 파일럿에 주목한다. 차민영은 파일럿을 서구 이분법적 사고에 국한되지 않으면서 긍정적인 아프리카 여성의 본성을 지닌 흑인 여성으로 재평가한다(166). 그녀가 다른 인물과 달리 그만한 자질을 갖추었다는 사실에 주목하기에 앞서, 그녀가 배꼽이 없다는 사실로 인해 흑인 사회나 가족으로부터 이방인으로 취급받았다는 사실에 주목할 필요가 있다. 사무엘스와 허드슨-윔즈는 배꼽이 없다는 것이 갖는 의미에 대해 그것이 독립적이고 구속받지 않음을 상징한다고 말한다. 그들의 지적에 따르면, 파일럿은 자신이 배꼽이 없다는 사실 때문에 그녀가 맺어온 관계들이 한 순간에 좌절을 맞게 되는 것을 발견한다. 그리고는 과감하게 모든 것을 던져버리고 아무것도 없는 '무'의 지점에서 시작한다. 먼저 머리칼을 자르고, 그런 다음 자신의 삶을 가치 있게 만드는 문제들에 대해 고심하기 시작한다(61). 바로 이 점이 작가가 파일럿에게 밀크맨을 인도하는 모성적 역할을 부여한 이유이다. 「『솔로몬의 노래』와 『타르 베이비』에 나타난 해체적 신화 만들기」에서 김애주는 롤랑 바르트Roland Barthes의 신화관을 바탕으로 기존 신화를 해체해서 모리슨이 재구성하는 흑인 여성을 위한 반신화를 분석한다(383). 그 분석에 따르면,

모리슨이 파일럿을 통해 시도하는 반신화는 이원 대립적 요소들을 상충관계가 아닌 양립관계로 보여줌으로써, 이분법적 가치체계가 아닌 재조정된 서구 가치체계를 구상화한다(387). 따라서 파일럿은 밀크맨과 기타가 매달리는 가치들로 인해 병리적 증상으로 빠져드는 것에 제동을 걸어 주고 그들의 허영만으로는 자기 자신들조차 지켜낼 수 없음을 인식하게 만드는 유일한 사람이다. 그 예로 파일럿의 집에서 자루를 훔쳐 차에 싣고 달아나던 밀크맨과 기타는 흑인이라는 이유로 갑작스런 검문을 받게 되고 그것이 훔친 물건임을 알게 된 경찰에 의해 유치장에 갇히는 사건이 발생한다. 메이컨이 연 지갑에 경찰의 태도가 바뀌기는 했지만 그들을 유치장으로부터 구해낸 결정적인 역할을 한 것은 파일럿의 변신이다. 당당하던 그녀의 굴종적인 변신은 밀크맨이 지금까지 경험한 것과는 다른 수치심을 경험하게 한다.

> 사지를 벌리고, 온 몸을 손으로 수색당하고, 수갑이 채워지는 수치심, 어른답게 한 탕 친 것이라기보다는 할로윈에 아이들이 하는 사탕놀이 장난처럼 해골을 훔쳐 달아났다는 수치심. 자신이 풀려나기 위해서는 아버지와 고모의 도움이 필요했다는 수치심. 그것에 더해 자신의 아버지가 경찰관 앞에서—"우리 당 사정을 알잖소"라며 협조하는 미소를 지으며—온갖 힘을 쏟는 것을 보는 수치심. 하지만 그가 고모 파일럿을 지켜보고 그녀의 말을 들으면서 느낀 것만큼 대단한 수치심은 지금껏 느껴본 적이 없었다. 파일럿이 '제미마 아주머니'처럼 굴어서 부끄러웠던 게 아니라—그를 위해—그녀가 기꺼이 그것을 능숙하게 해주었다는 사실이 부끄러웠다. (210)

밀크맨이 이 같은 수치심을 느끼기 이전에도 그가 깨달음을 경험할 수 있었던 기회는 종종 있었으나 그러한 기회들은 '그'를 깨달음의 경지로

올려놓지 못했다. 밀크맨과 기타가 파일럿을 때려눕히고 그녀의 자루를 훔치기로 공모하거나 결정할 때면, 그들 앞에 화려한 꼬리를 자랑하는 '하얀' 공작새가 나타난다. 밀크맨에게 하얀 공작새의 갑작스런 등장은 그것이 백일몽일 것이라는 착각이 들게 하였고, 기타는 그것을 잡으려 시도하다가 포기하기도 한다. 그들은 공작새가 날지 못하는 것에 대해 비아냥거리며, "꼬리가 너무 무거워서, 저 모든 보석의 무게 때문에, 허영심 같은 거지. 저 빌어먹을 것들을 달고는 누가 하늘을 날 수 있겠어. 날고 싶으면, 아래로 몸을 끌어당기는 저 빌어먹을 것들을 다 포기해야지"(179)라고 말한다. 그리고는 황금을 손에 쥔 이후를 상상하기 시작한다. 공작새는 손에 잡히지 않으면서 그들의 허영심만을 자극하는 '하얀' 존재로서 백인들의 모습을 반영한다. 파일럿은 물질적 힘에 빠져들지 않은 인물이면서 동시에 비가시적 세계의 존재와 힘을 믿는 인물이기 때문에, 허영심으로 가득한 흑인사회에 치유의 힘을 제공할 수 있는 유일한 사람이다.

앞서 고찰한 바와 같이, 모리슨의 작품에서 흑인 모성과 자녀와의 관계 분석을 통해 모성부재가 폭력으로 기능하는 것을 그녀의 작품에 등장하는 다양한 인물들의 삶을 통해 알 수 있다. 모리슨의 작품에 등장하는 주인공들은 인종주의와 성차별로 인해 존재 자체의 위협을 느끼게 될 때, 종종 어머니나 다른 가족이 아니라 오히려 매춘여성, 부랑자 등 사회적 약자로부터 감정적인 위로를 받는 것을 볼 수 있다. 즉 작품에 등장하는 흑인 주인공들은 인종차별, 성차별에 모성부재라는 문제를 공통적으로 안고 있는 것이다. 모리슨의 소설에서 모성은 처음부터 완전히 부재하기도 하지만, 종종 모성이 존재한다 하더라도 부모가 사회의 가치를 여과 없이 자녀에게 일방적으로 주입할 경우, 자녀는 그것을 폭력으로 경험하여 결국은 모성부재의 현상을 대물림하게 된다.

모리슨의 작품에 나타난 흑인 모성의 도전과 실패를 통해서, 우리는 흑인 사회에서 받아들여지는 것과 그렇지 못한 것에 대한 통찰과 반성이 필수적이라는 것을 확인할 수 있었다. 자기성찰의 부족으로 인해, 흑인 여성들은 깨끗하고 강인하고 "도덕적으로 우월함"(Otten 30)을 백인성과 동일시하는 경향을 보이며, 그러한 오류로 인해 백인성에 도달하는 것을 모성보다 더 큰 목표로 삼게 되고, 이것이 모성부재를 초래하게 되었다. 각 작품의 주요 등장인물들은 백인 중심의 가부장적 가치에 대한 절대적인 힘에 의해 인종차별과 성차별을 경험하지만 정작 그들의 존재감을 결정적으로 파괴하는 것은 백인들이 아닌 흑인들이며 가족들이다.

본 연구는 모리슨의 작품에 등장하는, 모성을 지니지 못했거나 어긋난 모성을 지닌 여성인물과 그러한 모성부재 현상을 경험한 자녀, 그리고 그 자녀가 성장하여 남성의 삶을 사는 것을 분석하였다. 주인공들의 삶을 분석하는 과정에서 모성을 주제로 삼아 대상관계이론을 적용하였다. 대상관계이론은 흑인 가정이라는 특수한 상황에 있는 등장인물들의 삶을 성인들의 삶뿐만 아니라, 출생 직후 유아로서 겪는 심리적 좌절과 박탈감을 이해하는 데 유용하게 적용되었다. 즉 출생 직후 아이가 겪는 모성의 부재가 아이의 발달과 정체성 형성에 결정적인 영향을 미친다는 점에서 프로이트의 정신분석학 이론이 아니라 전 오이디푸스 시기를 기반으로 한 대상관계이론을 적용하여, 자녀와의 관계보다는 사회적 가치에 치중한 흑인 모성의 부정적인 측면을 분석하였다.

사무엘스와 허드슨-윕즈가 지적하였듯이 근친상간을 포함한 아이학대는, 암암리에 알고 있었으나 지금까지 사회적으로 공론화되지 못한 주제이다. 그러나 모리슨은 부모의 사랑과 폭력간의 특성과 관계에 집중하면서, 자신의 첫 소설 『가장 푸른 눈』을 통해 인종차별과 성차별의 사회적 약자인 흑인 어머니들이 자녀에게 가하는 그로테스크한 폭력을 묘사하기 시작한다. 만취한 아버지로부터 근친상간이라는 성폭력을 당한 자녀는 어머니로부터 보호받지 못하고 오히려 심한 매질을 당하며 결국 광기로 내몰린다. 자녀들에게 가해진 폭력을 외면하고 공격하는 흑인 어머니들의 병리적인 반응은 생애 초기의 어머니와 유아간의 관계 실패에 그 원인이 있다는 점과 그것이 한 개인의 결점에 그치는 것이 아니라 개인이 성장한 후 자녀에게 대물림 된다는 점에 주목할 필요가 있다.

본 저서는 모성부재를 다루는 데 있어서 경제적인 잣대를 적용하여 하층 계급의 모성과 중산층 계급의 모성으로 구분하고 계급에 따라 다르게 나타나는 모성부재의 양상을 조명하였다. 또한 모리슨은 모성부재를 겪고 성장한 부모세대가 모성부재를 자식에게 대물림함으로써 그 영향이 더욱더 파괴적이라는 점을, 성인이 된 흑인 남성들을 통해 제시하고자 하였다. 모성부재의 증상으로 부성의 부재와 극복의 양상을 드러내는 세 명의 흑인 남성들 중 촐리, 그리고 기타와 밀크맨은 성차별로부터 비교적 자유로운 상태이지만 잘못된 성의식과 인종차별적 시각이 분노로 표출되면서 관계의 단절을 경험한다. 출생 직후 어머니에 의해 쓰레기 더미에 버려진 촐리는 할머니에 의해 구출되고 양육되지만 나약하고 초라한 환경을 혐오하면서 그녀의 돌봄을 모성으로 기억하지 않는다. 욕망이 절망으로 변한 어린 시절의 사건으로 상흔이 남은 촐리는 남성적 힘과 권력의 세계를 쫓게 되지만 좌절하며, 더 이상 잃을 것이 없는 버림받음의 상태에서 딸을 겁탈하고 그녀를 광기로 내몬다. 위니콧이 정신병을 '환경의 결핍'이라 했듯이 촐리의 부성부재는 촐리와 어머니간의 초기 관계의 실패에서 비롯되었으며, 피콜라는 좋은 양육환경의 결핍으로 인한 희생양이 된다.

기타의 유년기 경험은 백인에 대한 극단적인 적대감, 하층민에 대한 연민, 그리고 중산층 흑인에 대한 불신으로 가득하지만, 이와 같은 어린 아이가 감당하기 어려운 경험을 함께 나눠 줄 어머니의 모습은 작품 속에 나타나지 않는다. 보울비의 '불안정 애착' 아동이 보이는 특징처럼, 기타는 세상을 위험한 장소로 간주하고 자신의 삶에 가치를 두지 않은 채 백인을 무작위로 살해하는 비밀 결사단의 구성원이 된다. 기타에게 나타나는 대표적인 병리현상은 피해망상이며, 그의 일상과 외부세계는 자신을 공격하는 나쁜 대상들로 가득한 편집, 분열시기에서 경험된다. 클라인의 이론대로, 기타가 좋은 부모의 돌봄을 받았다면 나쁜 대상으로부터의 파괴적인 공격을 적절히 다룸으로써 부분이 아닌 좋고 나쁨이 공존하는 전체 대상을 볼 수 있는 다음단계로 옮겨 갈 수 있었을 것이며, 증오의 기회만을 찾는 존재로 전락하지 않았을 것이다. 증오의 감정으로 편협해진 기타와는 달리, 밀크맨은 남부로의 여행을 통해 자신의 겉모습에 나타난 오만한 백인의 모습을 확인하고 자아성찰의 기회를 갖게 됨으로써, 어머니를 포함한 가족에 대한 부정적인 생각을 떨쳐버리고 그들을 이해하게 된다. 비록 어린 시절 모성부재를 경험했지만, 밀크맨은 남부에서의 산행을 통해 어머니와 같은 자연과 교감하게 되고 편집, 분열시기를 극복하고 전체로서의 삶을 보게 되는 정상적인 발달을 하게 되는 것이다. 서구의 이분법적 사고에 국한되지 않으면서 긍정적인 아프리카 정신을 표상하는 파일럿의 모성적 보살핌 또한 그가 물질주의의 병리적 증상에 빠져드는 것을 막아준다.

지금까지의 논의에서 알 수 있듯이, 밀크맨은 모성부재와 그것으로 인한 병리적 증상을 극복하고 가족관계와 종족과의 관계회복의 가능성을 여는 존재로 분석된다. 그의 깨달음은 자연과 종족의 과거와 자연을 담은 '남부라는 환경'과 아프리카 정신을 실천하는 '파일럿의 모성적 돌봄'이 있었기에 가능할 수 있었다. 인종문제를 다루기 위해서는 흑인 문제가 아닌 역사적 불평등이나 문화적 고정관념과 같은 미국의 결점을 다루어야 한다는 코넬 웨스트의 지적이 시사하듯, 우선 미국사회의 사회문화적 편견을 제거하기 위해서 이분법적 사고의 폐단이 극복되어야 하며, 그 바탕 위에 흑인들 또한 성장을 위해 사용해왔던 자신들의 뿌리에 대한 경멸을 중단하고 자신들이 가진 열정, 감정, 본성에 대한 신성한 의미를 새롭게 찾아야 할 것이다.

7 모리슨이 말하는 모성성

토니 모리슨Toni Morrison이란 작가에게 있어 한 흑인 여성의 개인적인 삶에 천착하여 사적인 해방이나 자각에 도달하는 작품을 쓰는 것은 더 이상 의미가 없었다. 『뿌리: 근원으로의 조상』(*Rootedness: The Ancestor as Foundations*)에서 그녀 스스로 "최상의 예술은 정치적인 것이다"(345)라고 말했듯이, 모리슨은 예술과 정치성을 둘로 나누는 이분법적 사고를 거부하고 작품 안에서 정치성과 미학적 가치를 동시에 구현하려 한다. 따라서 모리슨에게 있어 창작행위란 한 개인의 꿈을 성취하고자 하는 것이 아니라, 조상 대대로 이어져 내려오는 문화적 가치를 탐색하고 과거의 유산을 재정립하여 인종차별로 인해 사라져 가는 아프리카적 전통을 되찾고 '흑인성'

blackness을 회복해가는 것이다. 주목할 만 한 점은 모리슨이 '흑인성'의 전수자와 아프리카 문학 유산의 전달자로서 여성, 특히 어머니를 지목하고 있다는 점이다. 이런 면에서 모리슨의 세 번째 소설 『솔로몬의 노래』(*Song of Solomon*)를 '어머니의 노래'로 규정하고, 어머니의 역할, 모성성 motherhood에 대해 재해석을 해보는 일은 의미 있는 작업이 될 것이다. 이 과정에 있어 본서는 흑인 여류 소설가의 역할을 아프리카 부족의 구비 전승 시인 '그리어'griot의 역할과 같은 것이라고 보는 토니 모리슨의 관점에 근거를 둘 것이며, 이러한 모성성이 여성을 오히려 해방시키고 더 나은 자아를 갖게 한다는 충분한 증거들을 이 작품의 각 인물들의 상호 연관성을 통해 구체적으로 제시하고자 한다.

토니 모리슨은 자신의 소설이 세대와 세대를 이어주는 아프리카적 전통의 가교 역할을 해내기를 원한다. "목격을 담당하는 것"(LeClair 121)이라고 그녀가 명명한 소설가의 사명은, 과거와 현재를 응집시키고 과거를 현재 속에서 재해석하는 것이다. 바로 이것이 『솔로몬의 노래』에서 토니 모리슨이 말하고자 했던 어머니라는 사람의 역할이다. 흑인 여성이면서 동시에 두 아이의 어머니이기도 한 모리슨에게 있어 문학이 예술인 동시에 정치적인 것이라면, 모성성 역시 아이를 양육하는 행위일 뿐만 아니라 인종 차별의 현실 속에서 생존하고 싸워나가야 하는 정치적 행위이다. 토니 모리슨은 모성성이 여성을 해방시키고 더 나은 자아를 갖게 하는 것이라고 보고, 서구 백인 페미니스트들이 주장하는 모성성에 대한 부정적 견해들에 반론을 제기한다. 토니 모리슨과 함께 흑인 페미니스트들이 특히 이의를 제기하는 서구 백인 사회의 모성성의 개념이란, 첫째로 '어머니'를 자녀 양육의 거의 유일무이한 존재로 간주하고, 어머니가 아들과 딸에게 각기 다른 성 정체성을 발달시키게 하는 원인 제공자라고 보는 관점이다. 낸시 초도로우Nancy Chodorow의 이론에서 비롯된 이 개념은 '어머니 비난하기' mother-blame의 원인이 되기도 한다. 딸이 어머니와 같은 여성이기 때문에 어머니와 자신을 동일시하고 그녀 자신과의 '연속체'로 간주하는 경향이 있다면, 결과적으로 '왜소한' 어머니를 둔 딸들은 '왜소한' 어머니와 자신을 동일시하게 될 것이기 때문이다. 그러므로 낸시 초도로우가 주장하는 바대로 가부장제가 의도하는 남성 지배 이데올로기가 안전하게 존속되는 것이다. 이는 이 작품에서도 루스Luth와 그녀의 두 딸들에게 너무도 정확하게 들어맞고 있기 때문에 이 이론의 정당성을 단번에 입증하는 것처럼 보인다.

둘째로, 흑인 페미니스트들이 이의를 제기하는 이론은 '어머니 역할'이 여성 억압의 가장 근본적인 원인 중 하나라고 보는 관점이다. 이 개념 역시 초도로우가 그녀의 이론서 『모성성의 재생산』(*The Reproduction of Mothering*)에서 주장한 내용으로, 초도로우 이후 백인 페미니스트들은 '집에 머무르며 애플파이를 만드는' 이상화된 어머니상에 반기를 들고 모성의 짐으로부터 여성을 해방할 수 있는 방법을 모색한다. 이 때문에 페미니스트들 사이에서도 '모성 공포'matrophobia 현상이 일어나 마리안 허쉬Marianne Hirsh가 지적한 대로 1970년대에는 페미니즘 계에서 모성성에 대한 언급을 회피하는 일이 벌어지기도 한다.

이상의 서구 백인 중심의 모성성 개념에 대한 흑인 페미니스트들의 반박은 다음과 같다. 패트리샤 힐 콜린스Patricia Hill Collins에 따르면, 흑인 가정은 백인 핵가족의 경우처럼 남녀의 역할이 분명하게 구분되지 않으며, 여성도 남성처럼 경제적 책임을 지고 집밖에 나가 있어야 한다. 따라서 흑인 사회에서는 양육의 책임이 한 여성에게만 주어지는 것이 아니라고 그녀는 말하고 있다. 다음은, 어머니를 양육에 있어 거의 유일무이한 존재로 간주하는 첫 번째 이론에 대한 콜린스의 적절한 지적이라고 할 수 있다.

> 아이를 낳은 어머니, 즉 친모는 자신의 자녀들을 당연히 돌볼 것으로 기대된다. 그러나 아프리카나 미국 내에 존재하는 흑인 공동체에서는 한 아이의 양육을 위해서 한 사람이 완전한 책임을 지는 것이 현명하지도 가능하지도 않다고 본다. 따라서 '다른 어머니들', 친모와 책임을 공동 분담할 수 있는 여성들이 전통적으로 흑인 모계의 중심이 되어왔다. (47)

두 번째 이론에 대한 반론은 미리암 존슨Miriam Johnson이 지적한 바와 같이, 여성을 억압하는 근본적인 원인은 '어머니 역할'에 있는 것이 아니라 '아내 역할'에 있다는 것이다. 그녀는 어머니 역할이 여성을 억압하기는 커녕 도리어 여성에게 파워를 주고 사회 내에서 우월한 자리를 차지할 수 있도록 한다고 말하면서, 미국의 흑인 사회를 '모계 중심 사회'로 규정하고 흑인 여성들은 어머니 역할에 따른 억압을 경험하지 않는다고 말한다. 왜냐하면 흑인 여성들은 남성과 마찬가지로 경제권을 쥐고 있으며, 혈족 중심의 공동체가 자연스럽게 어머니를 중심으로 움직이고 있기 때문이다.

토니 모리슨 자신도 아내 역할이 여성에게서 권리를 빼앗고 그들을 억압하는 원인이라고 지적하면서, 아내 역할이 가부장제와 백인 우월주의를 동시에 보장해주는 것이라고 말한다. 그렇다면 이 작품에서 토니 모리슨이 루스와 두 딸 그리고 대리모 파일럿을 통해서 말하고자 했던 것은, 다름 아닌 서구 백인 가부장제 하에서 피폐해진 어머니상과 그 상흔을 보여주려는 것이었다는 점이 보다 분명해진다. 그러나 토니 모리슨은 거기서 한 발 더 나아가고 있다. 단지 그들 세 여성을 비판하는 것이 아니라 흑인 사회가 지향하는 모성성의 가능성을 그들 안에서 찾고 있기 때문이다. 흑인사회가 지향하는 이러한 모성성의 전형은 그들 중에서도 파일럿이라는 대리모를 통해 형상화 된다.

이렇듯 토니 모리슨에게 있어 어머니의 역할은 아이의 양육뿐만 아니라 아프리카의 전통을 보존하여 문화유산을 전수하는 것이다. 칼라 할러웨이Karla Holloway가 "흑인 여성들은 어머니의 목소리를 전달한다"(123)라고 말하였듯이, 어머니들이 아이들에게 불러주었던 노래는 후손들이 조상들의 과거로 돌아가 그 속에서 새로운 정신적 힘을 찾도록 해주는 것이다. 따라서 『솔로몬의 노래』는 모리슨의 문학적 신념과 여성관 및 모성성의 긍정적 힘에 대한 견해가 집약된 작품이라고 할 수 있다.

8 비극의 악순환: 모성 결핍, 루스

미국의 백인 중심 페미니즘 이론에서 모성성은 가부장제를 유지하기 위한 여성 억압의 형태로 받아들여진다. 허쉬가 말하듯이, 여성이 어머니가 되면 "그녀는 대상으로 머무르며, 항상 주변화 되고, 항상 이상화되거나 모욕당하고, 항상 신비화되며, 항상 작은 어린아이의 눈을 통해 제시될 뿐이다"(167). 루스 포스터 데드Ruth Foster Dead도 『솔로몬의 노래』 안에서 "대상"이며 "항상 주변화 되고" 있는 주인공 밀크맨Milkman의 '어머니'이다. 어머니로서 그녀가 얼마나 주변화 되고 있으며 잊힌 존재인지는 이 소설의 첫머리에 나오는 에피그래프를 보기만 해도 알 수 있다. "아버지들이 날아오르면 자식들은 그들의 이름을 알게 되리라." 카렌 카민Karen Carmean은 위의 에피그래프가 『솔로몬의 노래』에서 두 개의 중요한 모티브인 "비상과 이름 짓기"를 나타내고 있다고 말한다(46). 그러나 결국 자식들이 알게 되는 것은 아버지의 이름이지 어머니의 이름은 아니다. 마치 이 사실을 입증이라도 하듯, 소설의 2부에서 밀크맨이 흑인들의 이름 짓기에 대한 각성에 도달하였을 때 나열되는 긴 이름 어디에도 '싱보' 루스의 이름은 존재하지 않는다(330).

모리슨이 이 작품에서 주인공이자 아들인 밀크맨을 전면에 내세우면서 이와 같이 그의 어머니 루스를 후미진 구석에 위치해 놓은 까닭은 무엇일까? 게리 브레너Gerry Brenner가 "작은 크기"(120)라 말하고 바바라 크리스찬Barbara Christian이 "좁은 존재"(56)라고 표현했던 것처럼, 비평가들이 거의 대부분 지적하는 루스의 문제점은 '왜소함'이다. 그리고 그 '왜소함'의 원인은 일차적으로 그녀의 아버지에게 있는 듯 보인다. 그녀의 아버지 닥터 포스터Dr. Foster는 그 도시에서 가장 위대한 흑인이었으며, 가장 부유한 사람은 아닐지라도 가장 존경받는 사람이었다. 그러나 그는 이웃의 흑인들에게 눈곱만큼의 관심도 주지 않았으며, 그들을 식인종이라고 부른 위선자였다. 그는 황금만능주의에 빠져있는 루스의 남편 메이컨 데드 2세Macon Dead II와 마찬가지로 서구 자본주의의 폐해인 물질욕에 사로잡혀 있으며, 마약에 자신을 의지하고 있는 병적인 인물이다. 그가 보여주는 딸에 대한 근친상간적 태도는 미리암 존슨이 말하는 아버지와 딸의 관계에 대한 좋은 예이다.

> 근친상간의 욕구는.... 심리적인 것이며 꼭 육체적인 것은 아니다. 아버지는 딸을 차지하고자 하는 것이며 딸은 그가 그녀의 아버지이기 때문에 존경한다. 그는 왕이며 딸은 공주이다. (173)

존슨에 따르면, 가부장제를 유지하기 위한 남성 지배 이데올로기의

한 결과로 아버지에 대한 딸의 의존성이 나타난다. 아버지들은 그들의 딸을 얌전하고 수동적인 여성으로 키워 다른 남성의 적절한 아내감이 되도록 만들어서 여성에 대한 남성의 지배를 공고히 하도록 돕는다. 닥터 포스터와 루스의 관계가 존슨의 이론에 대한 좋은 예가 되는 것은 이 때문이다. 포스터는 다음 세대인 남성 메이컨 데드에게 루스를 넘기면서 남성들 간의 여성 지배 체제를 계승시켜 나간다. 에이드리안 리치Adrienne Rich가 쓴 논문 「아버지들의 왕국」("The Kingdom of the Fathers")의 제목이 시사하듯이, 루스는 닥터 포스터의 왕국으로부터 메이컨 데드의 왕국으로 '물건'처럼 넘겨진 가부장제의 희생물이다.

이런 결과로 루스는 긍정적 자아감을 지닐 수 없었을 뿐만 아니라 자신의 영역을 지속적으로 작은 범주 안에 한정지음으로써 스스로를 더욱 축소시키게 된다. 루스는 아버지에 대한 자신의 고착 상태가 정상적이지 않다는 것을 알면서도 잘못된 관계로부터 벗어나려고 시도하기보다는 그 관계를 합리화할 수밖에 없다. 아들 밀크맨에게 자신의 입장을 변명조로 늘어놓았던 루스 자신의 이야기는 이런 의미에서 루스의 왜소함이 아버지 닥터 포스터의 책임임을 밝히는 동시에 또 다른 이유를 독자들에게 제시하고 있다.

> 나는 작은 사람인데, 그 이유는 내가 작아지도록 억압당했기 때문이야. 나는 나를 작은 꾸러미에 쑤셔 넣는 큰 집에 살고 있었어. 난 친구도 없었고, 급우들은 내 옷이나 하얀 실크 스타킹에 관심을 보였을 따름이지. 하지만 난 친구가 필요하다고 생각하지 않았는데 왜냐하면 내겐 아버지가 있었으니까. 나는 작았지만 그는 거대했어. 내가 살았는지 죽었는지 진정으로 관심을 보여준 유일한 사람이었지. [. . .] 나중에는 그가 이 세상에 존재하는지 단지 그 사실만이 중요하게 되었어. 그가 세상을 떠났

을 때 난 줄곧 내가 그로부터 얻었던 보살핌의 느낌을 되살리려 애쓰곤 했었지. 난 이상한 여자가 아니야. 난 작은 여자일 뿐이야. (124)

루스에게 아버지의 존재는 의지할 수 있는 '유일한 사람'이다. 그러므로 루스의 왜소함이 닥터 포스터의 책임만이라고 할 수 없는 이유가 성립되는 셈인데 그녀에게 부족한 것은 다름 아닌 모성애다. 사무엘스와 허드슨-윔즈에 따르면, 모리슨의 작품에서 필수적인 요소로 등장하는 모녀관계가 루스에게는 결핍되어 있으며, 비록 아버지의 보호를 받고 자라나긴 했지만 루스의 심리상태는 불완전하다고 할 수 있다(55). 어린 시절에 어머니를 잃고 자신을 아내의 대체물로 간주하는 아버지의 왜곡된 사랑을 받으며 자라난 여성이 열여섯 살에 결혼을 했을 때, 자신을 인형인 것처럼 취급하면서 옷 벗기기에 쾌감을 느끼는 남편과 살게 되었을 때, 그리고 그 남편이 아버지와의 관계를 의심하면서 부부 관계에 종지부를 찍었을 때, 이 여성이 할 수 있는 일이란 무엇이겠는가? 그녀의 이러한 소외된 상태, 주변으로 밀려나 잊힌 상태를 가장 잘 보여주는 상징은 마호가니 테이블 위에 나있는 '물 자국'이다. 사무엘스와 허드슨-윔즈의 지적대로 그것은 "그녀의 결핍된 존재성"(56)을 드러내주는 모리슨의 비유적 장치라고 할 수 있다. 루스는 그 물 자국을 향해 하루에도 여러 차례 시선을 보낸다. 그녀는 물 자국이 거기 존재한다는 것을 알고 앞으로도 그러리라는 것을 알지만, 그것의 존재에 대한 확신이 필요했던 것이다. 그 "정박 중인"(11) 시각적 대상을 통해서 루스는 세상이 여전히 거기 있음을, 이것이 삶이고 꿈이 아님을 느낄 수 있다. 그리고 그녀는 등대지기처럼, 혹은 죄수처럼 자신의 내부 어딘가가 살아 있음을 알 수 있다. 물 자국처럼 루스의 존재는 정지되어 있으며 무시당해도 좋을 만큼 하찮은 얼룩에 불과하기 때문에, 결국 물 자국과의 동질감을 통해서 루스는 위안을 얻고 있는 것이다.

루스는 또한 스스로 말하고 있는 것처럼 그녀의 아이들을 통해서 자신의 미미한 존재를 그나마 의미 있는 것으로 받아들일 수 있다. 그러나 모성애를 받아본 경험이 전무한 여성이 어떻게 바람직한 '모성성'을 발휘할 수 있을 것인가? 초도로우의 주장처럼, 여성이 여성에 의해 양육되기 때문에 모성에 필수적인 자질들을 내재화하는 것이라면, 루스는 모성에 필수적인 자질들을 전혀 갖추지 못하고서 어머니가 된 셈이다. 실제로 그녀는 요리를 잘 하지 못해서 남편에게 조롱을 당하기도 하고, 아들인 밀크맨이 걸어 다닐 나이가 될 때까지 젖을 먹이는 괴이한 행동을 하기도 한다. 무엇보다 문제가 되는 부분은 그녀의 두 딸에 대한 태도이다. 루스가 의식적이든 무의식적이든 레나Lena라고 불리는 첫 딸 매그들린Magdelene과 둘째 딸 퍼스트 코린시언스First Corinthians를 자신과 똑같은 운명에 처하도록 만들고 있기 때문이다. 그 결과, 외아들 밀크맨에게 그들 세 사람은 전혀 구별이 되지 않는 하나의 인간으로 비쳐질 지경이다. "그[밀크맨]는 결코 누이 두 명을 (혹은 그들의 역할을) 어머니와 구별 지어서 인식할 수 없었다"(68). 심지어 밀크맨은 어머니가 큰 누나 레나보다 16살이나 많음에도 그들 세 사람이 비슷한 연배로 보인다고 말하고 있다.

여기서 특히 주의할 대목은 '그들의 역할'이다. 모성성이란 단지 아이를 낳았다는 사실로 획득되는 자질이 아니라 아이를 낳은 이후 이루어지는 모성의 실현을 말하는 것이기 때문이다. 그러므로 밀크맨에게 비친 그들 세 사람은 가부장제의 제단에 제물로 바쳐진 세 여성의 모습이며, 그들 셋이 똑같이 밀크맨이 잘 때 조용히 했고, 밀크맨이 배고플 때 요리를 했고, 밀크맨이 놀고 싶을 때 그를 즐겁게 해주었던 사람들이라면 그들 모두가 밀크맨의 '어머니'이다. 그들 셋은 단지 피를 나눈 어머니나 누이들이 아니라 밀크맨의 양육자이자 그에게 그들의 '젖'을 나누어준 사람들이기 때문이다. 이 세 사람의 공통적 운명에도 불구하고, 루스가 자신의 삶을 정신적으로 죽은 것이나 다름없는 '데드'Dead 집안에서 말 그대로 '죽어가도록' 내버려두는 동안, 두 딸도 함께 '왜소하게' 시들어 가도록 한다는 점은 용인할 수 없는 비극의 악순환이다. 모성애가 결핍된 여성은 조화로운 모성성을 갖출 수 없고, 그래서 자식들에게, 특히 딸들에게 절망의 유산을 물려주게 된다는 것이 토니 모리슨이 루스를 통해 말하고자 하는 것이다. 모성성의 결핍, 결핍된 존재성은 결국 두 딸에게는 어머니와 똑같은 왜소함, 소외된 주변화 된 삶의 유산만을 안겨주었으며 아들 밀크맨에게도 삶의 방향과 철학을 전혀 깨우치지 못하게 하는 결과만을 낳고 있는 것이다.

9 혁신적 변화: 충만한 모성, 파일럿

이 작품에서 등장하는 밀크맨의 고모 파일럿 데드Pilate Dead는 생모인 루스를 도와서 밀크맨을 함께 양육한 '대리모'surrogate mother이다. 벨 훅스Bell Hooks는 「혁신적인 양육」("Revolutionary Parenting")이라는 글에서 '대리모'의 필요성을 다음과 같이 역설하고 있다.

> 어린이를 양육하는 일은 다른 양육자들, 즉 어린이와 같이 살지 않는 사람들과 공동으로 책임질 수 있는 일이다. 이런 형태의 양육은 사회 내에서 혁신적인 것으로 받아들여지는데, 그 이유는 이런 형태의 양육이 부모, 특히 어머니를 유일한 양육자라고 생각하는 통념과 상반되는 것이기 때문이다. 흑인 공동체 내에서 자란 많은 이들은 이런 형태의 공동체적

아이 양육에 대한 경험을 가지고 있다. [. . .] 흑인 여성들은 그들 공동체 내의 사람들에게서 도움을 받았다. (144)

훅스가 주장하는 바대로, 이 작품에서 그녀의 역할은 단순히 루스를 돕는 대리모 그 이상이다. "교사이자 양육자이며 대리모이고 블루스 전통을 지키는 자"(114)라고 길게 표현한 트루디어 해리스Trudier Harris의 지적대로, 파일럿은 작품 속에서 밀크맨 못지않게 중요한 위치를 차지하고 있는 인물로 지극히 복잡한 역할을 해내고 있다. 그러나 그녀의 많은 역할 중에서도 가장 핵심적인 역할은 퍼만Jan Furman이 말하듯이 "밀크맨이 여정을 통과해 가게해주는 정신적 안내자", 즉 진정한 어머니(45)로서의 역할이다.

밀크맨에 대한 파일럿의 '안내자'로서의 역할은 사실 밀크맨이 태어나기 전부터 시작된 것이다. 파일럿은 남편 메이컨과 애정 없는 결혼 생활을 영위하고 있던 루스를 보고 메이컨의 음식에 신비한 약초를 섞어 넣어서 단지 나흘간일지라도 메이컨이 아내를 사랑하도록 만든다. 그 결과 루스는 밀크맨을 임신하게 된다. 그러나 이 원치 않은 결과에 격분한 메이컨이 뱃속의 아이를 죽이기 위해 온갖 나쁜 시도를 다 할 때, 파일럿은 루스를 도와 끝까지 아이를 지킬 수 있게 한다. "그녀[파일럿]는 내 생명을 구했단다. 그리고 너의 것도, 메이컨. 그녀는 네[밀크맨]의 생명도 또한 구했단다"(126)라고 루스가 말한 그대로 파일럿은 밀크맨이라는 존재가 있게 한 또 한 사람의 어머니인 것이다. 다시 말해, 파일럿은 루스를 도와서 밀크맨이 '탄생'이라는 최초의 여정을 시작할 수 있게끔 도와준 안내자이다.

파일럿의 뛰어난 면모는 다른 인물들과의 대조를 통해서 더 크게 부각되는데, 모리슨은 루스의 '왜소함'과 파일럿의 '거대함'을 의도적이라 여겨질 정도로 선명하게 대조시키고 있다. 게이 윌렌츠Gay Wilentz 같은 이는 밀크맨을 "그녀[파일럿]의 조카인 동시에 아들"(117)이라고 말하기까지 한다. 작품을 읽어가다 보면 실제로 밀크맨의 진짜 어머니가 루스가 아니라 파일럿이라고 여겨질 정도로 밀크맨에게 끼친 그녀의 영향력은 지대하다. 루스는 단지 밀크맨을 낳았고 그가 걸어 다닐 나이가 될 때까지 수유를 한 사람일 뿐, 밀크맨이 한 사람의 어른으로서, 그리고 변화된 인간으로서 성장할 수 있도록 안내한 사람은 파일럿이다. 그러나 모리슨이 이 두 어머니의 대조를 통해서 말하고자 한 바는 한 사람이 다른 한 사람보다 더 훌륭하다는 것이 아니라, 두 여성이 지닌 역량의 차이에도 불구하고 그들이 똑같이 밀크맨을 사랑하는 어머니임을 말하고자 하는 것이다. 따라서 두 어머니가 살아온 삶의 궤적을 대조적으로 보여주면서도 그들의 공통점을 강조하고 있는 다음의 대목은 중요하다.

> 그들은 너무 달랐다. 이 두 여성은. 한 사람의 피부는 검었고, 다른 한 사람의 피부는 레몬 빛이었다. 한 사람은 코르셋을 하고 있었지만, 다른 한 사람은 치마 아래가 완전 알몸뚱이였다. 한 사람은 책은 많이 읽었으며 여행은 적게 하였고, 다른 한 사람은 지리책만 읽었을 뿐이나, 나라의 한 쪽 끝에서 다른 쪽 끝까지 다 가 보았다. 한 사람은 전적으로 돈에 삶을 의지하였으나, 다른 한 사람은 돈에 무관심하였다. 그러나 이것들은 의미 없는 일들이었다. 그들의 공통점은 보다 깊은 것이었다. 그들은 둘 다 메이컨 데드의 아들에게 생생한 관심을 쏟고 있었다. 그리고 그들은 둘 다 죽은 아버지와 친밀하고도 힘이 되는 소통을 나누고 있었다. (139)

위의 글에서 알 수 있듯이 루스와 파일럿은 둘 다 밀크맨에게 생생한 관심, 즉 모성애를 지니고 있었다. 그러므로 그 둘은 똑같이 밀크맨의 어머니이다. 그렇다면 파일럿은 밀크맨에게 어떤 어머니였는가? 토니 모리슨이 넬리 맥케이Nellie McKay와의 인터뷰에서 스스로 말하고 있는 것처럼,

"거대한 정신의"(144) 소유자인 그녀가 작품 안에서 보여주고 있는 '거대한 정신'은 무엇인가? 밀크맨이 아버지의 반대를 무릅쓰고 순전히 호기심과 기타의 충동질에 의해 파일럿의 집에 처음으로 찾아갔을 때, 파일럿은 집 앞 계단에 앉아서 오렌지를 까고 있던 중이었다. 메이컨은 파일럿이 밀주 제조업자라는 사실을 수치스럽게 여기고 자신의 여동생을 "뱀"(54)이라고 부르면서 밀크맨이 파일럿을 만나지 못하도록 금지한다. 그러나 밀크맨은 아버지의 모욕적인 표현과는 달리, 파일럿이 더럽지도 않으며 술에 취해 있지도 않다는 사실을 발견하게 된다. 그리고 곧이어 그녀가 일어섰을 때 그녀가 아버지만큼이나 키가 크고, 머리와 어깨는 밀크맨 자신보다 더 크다는 사실에 기겁을 한다. 파일럿의 이러한 큰 몸집은 그녀가 내부에 지니고 있는 거대한 생명력을 시각적으로 보여주는 비유적 장치이다. 그녀는 몸집만 클 뿐 아니라, 블랙베리 열매와 같은 입술은 화장을 하지 않고서도 생기 넘치는 빛깔을 보여준다. 또한 그녀는 소나무 바늘잎 같은 것들을 씹으면서 끊임없이 입을 움직이는 습관을 가지고 있는데, 이 습관 역시 부단히 약동하고 있는 그녀 내면의 움직임을 보여주는 것이다. 그녀의 목소리를 들으며 밀크맨은 자갈을 연상한다. 작은 자갈들이 서로 부딪치면서 내는 소리도 '검붉은 입술'과 '부단히 움직이는 입 모양'과 마찬가지로 파일럿의 '살아 있음'을 보여주는 그녀의 특성 중 하나이다. 간단히 말해서, 데드 가족 중에서 정신적으로 죽어 있지 않고 건강하게 살아있는 유일한 인물이 바로 파일럿이다.

파일럿이 살고 있는 집은 파일럿의 '살아 있는' 정신을 잘 보여주는 배경이자 밀크맨이 자아 성장을 시작하는 출발점이다. 파일럿은 북부의 큰 도시 안에서 살고 있음에도 불구하고 서구 자본주의가 정상적이라 여기는 현대 문명의 혜택을 거부한 채 가스도 수도도 전기도 들어오지 않는 집에서 살고 있다. 이것은 "궁궐이라기보다 감옥 같은"(10) 오빠 메이컨 데드의 집과 대조적인 장소로, 자연의 상태 그대로 살아가고자 하는 그녀의 자유로운 정신세계를 반영하는 것이다. 사무엘스와 허드슨-윔즈가 아주 적절하게 표현하고 있는 것처럼, "파일럿의 흥미를 끄는 것은 생활의 경제 원리라기보다는 삶의 '섭리'이다"(62).

토니 모리슨은 루스와 파일럿을 대조시키면서 두 여성의 근본적인 공통점을 이끌어냈던 것과는 달리, 파일럿과 오빠 메이컨 데드를 대조시키면서 말 그대로 그들의 차이점을 강조하고 있다. 특히 죽은 아버지를 중심으로 오누이가 결별하게 되는 '분리'에 초점을 맞춰서 두 삶의 차이점을 대비시키고 있다. 그 차이점이란 다름 아닌 소유욕에 사로잡힌 메이컨의 정신적 공황상태와, 인간과의 유대 관계를 중시하는 파일럿의 정신적 충만 상태와의 차이이다. 크리스찬은 파일럿과 메이컨의 대조를 이 소설의 두 축으로 간주하고 두 사람 사이에서 벌어지는 가치관의 갈등이 밀크맨이 해결해나가야 할 과제라고 말하고 있다(55). 처음에 밀크맨은 '아버지의 왕국' 안에서 메이컨의 대권을 물려받을 후계자로 살아가지만, 파일럿을 만난 뒤 그는 물질 중심의 세계로부터 벗어 나와 정신을 중시하는 파일럿의 세계로 들어가게 된다. 즉, '금'으로 상징되는 아버지의 물질적 가치관을 쫓으려 했던 밀크맨은 여정의 도중에 '금' 대신 '한 자루의 뼈'를 발견하게 되는데, 그 '뼈'야말로 파일럿의 아버지이며 동시에 밀크맨의 할아버지가 되는, 조상의 '유산'인 것이다(Christian 55).

메이컨은 파일럿의 가치관을 '다음 세상'에나 쓸모 있을 것이라고 업신여기면서 '이 세상'에 필요한 것은 자신이 갖고 있는 가치라고 옹호하며 다음과 같이 말하고 있다. "파일럿은 이 세상에서 네가 사용할만한 것은 하나도 가르쳐줄 수 없어. 아마도 다음 세상에선 그럴 수도 있겠지만, 이 세상에선 아니지"(55). 여기서 메이컨이 말하고 있는 '이 세상'의 가치란, 소유를 최고로 여기는 물질 중심의 가치이다. 그리고 그가 경시하고 있는 '다음 세상'의 가치란 파일럿이 살고 있는 정신적인 삶의 양식이다. 따라서 메이컨은 소유욕에 눈멀게 되면서부터 아버지와 단절된다. 즉 아버지의 유령은 파일럿에게는 나타나지만 메이컨에게는 나타나지 않는다. 그 이유는 자명하다. 아버지의 유령이 대변하고 있는 '저 세상'의 가치야말로 메이컨이 외면하고 있는 '다음 세상'의 가치이기 때문이다. 파일럿이 죽은 아버지와 소통할 수 있는 것은 죽은 자들, 즉 조상들의 가르침을 소중히 받아들이는 그녀의 정신적인 삶의 태도 때문이라 할 수 있다. 그러므로 밀크맨은 파일럿의 집에 들어가는 순간, '이 세상'에서 '다음 세상'으로 발을 들여놓은 것이며 '아버지의 아들'에서 '파일럿의 아들'로 변화를 시작한 것이다(Christian 55).

파일럿의 아들 밀크맨에게 비친 파일럿의 모습은 "커다란 검은 나무"(39)와 같다. 문맹이었던 파일럿의 아버지는 그녀의 이름을 지을 때 성경에서 발견한 글자가 "작은 나무들 위에 왕자처럼 보호해주듯이 휘늘어져 있는 나무의 형상처럼 보인다"(18)는 사실 때문에 '파일럿'이라는 이름을 택한다. 파일럿을 나무 이미지와 연결하는 내용은 작품 안에서 여러 차례 반복되고 있는데, 일차적으로 나무는 자식을 보호하는 어머니의 모습을 비유하는 것이다. 그러므로 밀크맨이 물질주의를 대변하는 아버지의 세계를 벗어나와 파일럿의 집으로 들어간 뒤에 정신적인 안정감을 느끼게 되고 그 자연의 거대한 나무와도 같은 품안에서 행복을 느끼는 것은 당연한 일이다. "그것은 그의 생애에서 완전히 행복하다고 기억될 수 있을 최초의 순간이었다"(47). 또한 나무는 뿌리를 땅에 박고 서있다는 사실에서 조상들이 남긴 유산과의 연속성, 즉 아프리카적 연속체를 암시하는 것이기도 하다. 따라서 밀크맨이 파일럿과의 만남을 계기로 해서 조상의 근원을 찾아 길을 떠나는 것 역시 예상할 수 있는 귀결이다.

밀크맨은 14살 때 자신의 왼쪽 다리가 조금 짧아서 똑바로 서 있을 수 없다는 사실을 발견하고는 신체적 결함을 숨기기 위해 자신만의 독특한 동작과 자세를 개발해낸다(62). 게리 브레너Gerry Brenner가 "절름거리는 영웅"(116)이라고 불렀던 그의 신체적 결함은, 오만과 이기심, 허영과 물질주의로 가득한 밀크맨의 정신적 결함을 상징하는 것이다. 샬리마 마을에서 사냥에 참가하여 고향 사람들과 하나가 되고서야 밀크맨의 다리는 치유되어 "그는 절름거리지 않는다"(281). 그가 육체적인 치유를 겪은 뒤 샬리마에서 아이들로부터 솔로몬의 노래 가사 전부를 듣게 된다는 사실은 이런 의미에서 의미심장한 것이다. 사실, 파일럿이 불렀던 슈거맨의 노래는 솔로몬의 노래 중 일부에 불과했다. 따라서 솔로몬의 노래가 완전히 드러나는 순간 밀크맨 역시 육체적으로도 정신적으로도 완치되어서 '솔로몬의 노래'를 이해하게 되는 셈이다.

이와 같이 밀크맨의 대리모 파일럿은 밀크맨을 정신적 여정으로 안내했을 뿐만 아니라 서구 백인 이데올로기, 즉 물질 만능주의와 가부장제에 물든 밀크맨을 치유하여 새로운 인간으로 거듭나게 한다. 이것은 밀크맨의 친모 루스가 할 수 없었던 역할이다. 파일럿은 모리슨이 스스로 말하듯 "문화유산의 전달자"(McKay 140)이면서 아프리카의 구비 전통을 전수하는 자이지만, 동시에 밀크맨의 정신적인 '재생'을 가능하게 한 자, 진정한 어머니인 것이다. 루스가 밀크맨에게 육체의 어머니라면, 파일럿은 정신의 어머니이다. 그러므로 두 번 태어난 밀크맨은 여정의 끝에 이르러 자신의 두 어머니를 생각하면서 전에는 무관심했던 어머니들의 삶에 대한 각성에 이르지 않을 수 없게 된다.

두 명의 예외를 제외하고, 그와 가까운 모든 사람은 밀크맨이 이 세상으로부터 없어지기를 더 바라는 것 같았다. 그리고 그 두 명의 예외는 둘 다 여성이었으며, 둘 다 흑인이었으며, 둘 다 늙은이였다. 처음부터 그의 어머니와 파일럿은 그의 생명을 위해 싸웠다. 그런데 그는 두 사람에게 차 한 잔을 타 드릴 정도의 인간적 인식이 없었던 것이다. (331)

10 사랑과 해방: 모성 결실, 밀크맨

토니 모리슨은 자신의 세 번째 소설인 『솔로몬의 노래』를 성경에 나오는 사랑과 해방의 시에서 따왔다. 토니 모리슨은 이 작품을 통해 사랑과 해방의 의미를 진정한 모성에서 찾고 있다. 실제로 작품 안에서 솔로몬의 노래를 부르는 사람은 아들 밀크맨의 거대한 정신적 뿌리 역할을 한 어머니, 파일럿이다. 『솔로몬의 노래』는 파일럿이 부르는 '슈거맨의 노래'에서 시작하여 밀크맨이 부르는 '슈거걸의 노래'로 끝나는데, 두 사람이 부르는 노래는 고향 아프리카로 돌아가기 위해 날아올랐던 비상의 선조 솔로몬을 기리는 기쁜 '해방의 노래'이며, 동시에 솔로몬이 남기고 떠난 아내와 자식들이 솔로몬을 그리며 부르는 슬픈 '사랑의 노래'이다. 그러나 '솔로몬의 노래'는 한 사람이 부르는 노래가 아니라 여러 사람이 목소리를 맞춰 부르는 '합창'이다. 밀크맨은 결국 비상의 선조 솔로몬의 뒤를 이어 아프리카로 떠나는 것이 아니라 그를 사랑하는 사람들 곁으로 돌아온다. 『솔로몬의 노래』에서 토니 모리슨이 보여주고 있는 주목할 만 한 점은 진정한 남녀의 화합이 어머니와 아들의 관계 회복을 통해, 즉 모성성을 통해 구현되고 있다는 점이다.

『솔로몬의 노래』는 이와 같이 사랑과 해방의 시를 작품 안에 담고 있는 흑인들의 블루스와 같은 작품이다. 토니 모리슨은 또한 미국 내 흑인 공동체에서 살아가고 있는 흑인들이 이기주의와 물질 만능주의에 가득 찬 백인 이데올로기에 물들어가고 있는 현실을 꾸짖으면서, 동시에 불평등한 현실로부터의 도피, 즉 비상이 궁극적 해결책이 될 수 없음을 이 작품을 통해 말하고 있다. 결국 토니 모리슨은 자아의 완성이 이기적인 자아 성취가 아니라 다른 이들에 대한 책임이라는 것을 진정한 모성애를 통해 거듭난 밀크맨의 정신적 성장을 통해 우리 모두에게 보여주고 있는 것이다. '솔로몬의 노래'는 어머니라는 무한하게 풍요롭고 거대한 뿌리를 통해 인간과 인간을 연결하고 그들의 화합을 꿈꾸는 현대적 시인 모리슨의 노래인 것이다.

11 모리슨이 말하는 어머니 여신의 전형: 가이아와 성모마리아

신은 젠더도 없고 인종도 없다고 하지만 엘리스 워커Alice Walker의 『컬러 퍼플』(*The Color Purple*)에서 흑인 소녀 셀리Celie가 상상하듯 얼른 떠오르는 신의 모습은 몸집이 크고 수염이 있는 백인의 모습이지, 황인종이나 흑인 여성 이미지는 당혹감을 주는 것이 사실이다. 현실에서 가장 강력한 힘을 지닌 백인 남성의 이미지로 신의 모습을 상상하며 또 그렇게 그리도록 암암리에 유도되어져 온 결과라 하겠다.

신학자 크라이스트Carol Christ의 지적처럼 우리 "영혼에 드리운 가부장적 신의 상징적 힘을 붕괴시키는 데 있어서 여신의 상징은 그 무엇보다 중요"하고도 핵심적 역할을 하고 있다(55). 흑인 여성작가들을 중심으로 아프리카의 전통적 여신을 되살리려는 움직임이나 풍만한 흑인 비너스 '나나'Nana를 조각한 니키 드 생팔Niki de Saint Phalle의 시도는 따라서 그만큼 신선하고 또 의미심장하다. 오드르 로드Andre Lorde는 『검은 유니콘』(*The Black Unicorn*)에서 아프리카의 여신과 전통을 김대싱하여 흑인 여성작가들에게 여신을 되찾을 수 있는 근간을 만들어 주었고 이제 여성은 유색 인종도 동성애자도 될 수 있는 독립적인 능력의 여신을 마음대로 상상할 수 있는 자유를 얻어나가고 있다.

이렇게 남성 유일신이 아니라 여신의 이미지를 부활하고 확립해나가는 움직임은 이리가라이Luce Irigaray가 말하는 여성의 상징체계를 형성해가는 노력에 다름 아니다. 이리가라이는 우리에게 익숙한 상징질서가 사실 남성위주로 이루어져 있어 이 상징질서 속에서 여성은 스스로를 표현할 매체로부터 차단당하고 있음을 잘 보여주고, 여성이 자신을 긍정적으로 재현할 수 있는 틀을 구성 혹은 재구성해야 한다고 주장한다. 여성이 자신을 긍정적으로 재현할 수 있는 새로운 상징질서를 찾기 위해서는 어머니에서 딸로 이어지는 여성 계보의 종적 구조가 회복되어야 하는데, 이때 여신 신화는 가부장제가 유일한 당위가 아님을 깨닫게 하는 강렬한 이미지이자 여성 계보의 재현이 될 수 있다.

이러한 맥락에서 20세기 후반에 들어 서양에서 활발히 진행되고 있는 여신에 대한 연구를 페미니즘과의 관계망 속에서 고찰하는 것은 매우 흥미롭고도 필요한 작업이다. 여신에 대한 최초의 학문적 연구는 1861년 스위스의 인류학자인 바흐오펜Johann Jakob Bachofen이 쓴 『모권』(*Das Mutterrecht*)에서 비롯되었다고 할 수 있다(후사인 148, Gadon 226). 이리가라이는 부권제보다 먼저 존재했던 여성 정치조직에 대한 증거를 제시한다는 점에서 바흐오펜의 연구를 흥미롭게 평가한다. 또한 이것은 당대의 사회이론가인 마르크스와 엥겔스F. Engels, 그리고 프로이트에게 지대한 영향을 미쳐 이들은 여신숭배가 초기 모계사회의 단계에서 형성된 것으로 추정한다.

인류학의 연구와 더불어 꿈과 무의식의 중요성을 환기시킨 정신분석학과 심리학의 발전은 여신 연구에 새로운 장을 열었다. 프로이트는 여신에 대한 헌신을 어머니와의 결합을 바라는 유아적인 욕망을 대변한다고 생각한 반면, 융은 여신을 우리의 무의식 속에 내재한 잠재적 생명력으로 파악한다. 여성원리를 보편적인 원형으로, 즉 우리 영혼에 깊이 각인된 원초적이고 본능적인 행동 형태로 보는 융의 이론은 여신을 다시금 일반 사람들의 상상력 속에 불러들이는 역할을 하고 있는 것이다.

20세기 후반부터 쏟아져 나온 여신에 대한 연구는 21세기 들어 더욱 활발해지고 있다. 그 중 아이슬러Riane Eisler의 성배와 칼The Chalice and the Blade은 성배로 상징되는 여신을 숭배하던 공동협력 사회에서 어떻게 칼로 대변되는 남성 지배 사회로 옮아갔는지를 치밀한 고증과 뚜렷한 주관을 갖고 여성의 관점에서 인류의 역사와 미래를 예견한 명저이다. 그녀는 남성 지배 체제와 같은 위계질서가 엄격한 사회구조는 개미나 벌처럼 군집생활을 하는 덜 진화된 생명체에 적합하며, 오늘날과 같은 기술진화의 분기점에는 "칼보다는 생명을 지속시키고 향상시키는 성배로 상징되는 남녀 공동협력 사회에서 실현 가능한 대안을 찾을 수 있다"(359)고 보고 있는 것이다.

2만여 년 전 여신은 우주와 모든 생명의 근원인 어머니이자 대지의 신으로 숭배되었으리라 추정된다(Baring & Cashford 11). 일부 과학자들은 지구를 대지의 어머니 가이아의 이름을 따서 부르며 가이아 이론을 주장한다. 가이아는 대지의 어머니 여신이 그리스 신화에 흡수된 형태로 모든 그리스 신의 어머니이자 근원이다. 이들이 주장하는 가이아 가설은 지구가 살아있는 생명체처럼 스스로 조절하는 시스템을 보유하고 있으며, 정복이나 경쟁이 아니라 협동과 상호작용이 중심을 이루는 거대조직체라는 것이다(Getty 29). 가이아 가설은 새 생명의 탄생은 경쟁의 메커니즘이 아니라 희생과 협동의 산물임을 역설한다. 생명이 잉태되는 과정 외에도 자연의 생태가 약육강식이 아니라 환경과의 조화, 그리고 상반된 힘을 가진 자와의 협동으로 이루어져 있음을 보여주는 새로운 시각을 제공한다. 이렇듯 여신 '가이아'는 상호 협동과 공존의 새로운 패러다임을 총체적으로 아우르는 이미지, 혹은 구심점을 제시한다.

우주의 근원으로 숭배되었다가 점차 힘을 잃고 억압되어 의식에서 배제되게 되었음에도 불구하고, 여신은 그러나 우리의 무의식에서 떠난 적이 없고 억압된 것은 반드시 돌아오듯 결국 되돌아 왔다. 남성 신의 성공적인 정복에도 불구하고 모성 신, 혹은 여신의 숭배가 완전히 소멸된 적은 없는데, 이것을 가장 역설적으로 입증해 주는 사례가 바로 오늘까지 이어지는 성모 마리아Virgin Mary 숭배이다. 대지 모신에서 유래한 여러 여신들과 삶의 형태가 동일했던 성모 마리아는 풍요를 관장하는 여신이 대체된 형태로 받아들일 수 있으며, 또한 모성만이 강조된 성sex을 초월한 존재이다.

아들의 죽음을 슬퍼하는 마리아의 모습Pieta은 또한 이전의 여신들이 자식을 잃었을 때의 슬픔과 통곡을 그대로 이어받아 전하고 있다. 아마도 가장 사랑받는 재현은 미켈란젤로Michelangelo의 피에타인데, 인생에서 가장 귀중한 것을 잃었을 때 인간이 느끼는 극한의 상실감을 집약적으로 표현하고 있기 때문일 것이다. 그 외에도 이난나와 이시스처럼 마리아는 하늘과 바다의 상징인 푸른색 옷, 그리고 초승달과 별을 자신의 주요 이미지로 삼으며, 바다에서 태어나는 아프로디테처럼 마리아의 어원도 바다이다. 또한 아르테미스처럼 출산과 풍요의 여신이며 기적적인 치유력을 대변한다.

12 결 론

본서는 모성부재를 다루는 데 있어서 경제적인 잣대를 적용하여 하층계급의 모성과 중산층 계층의 모성으로 구분하고 계급에 따라 다르게 나타나는 모성부재의 양상을 조명하였다. 또한 모리슨은 모성의 부재를 겪고 성장한 부모세대가 모성부재를 자식에게 대물림함으로써 그 영향이 더욱 더 파괴적이라는 점을, 성인이 된 흑인 남성들을 통해 제시한다. 첫 장에서는 페미니즘과 모성, 흑인 여성이라는 주제적 색채를 흑인 가정의 모성부재를 초래한 인종차별과 성차별, 그리고 그것들로 인한 사회, 문화적 편견이 이분법적 사고의 폐단에서 비롯되었음을 지적하고 그 대안으로써 등장한 초기 페미니즘을 소개하며 흑인 페미니즘을 통해 긍정적인 흑인 어머니의 상image을 제시한다. 다음 장에서는 '대상이론과 모성'에 대한 주제를 다루며, 대상관계이론이 작품 분석에 사용되기 전, 클라인과 위니콧 그리고 보울비의 이론의 주요 개념들이 모성부재의 원인과 결과에 어떻게 적용되고 분석되는지에 대한 이론적 근거를 소개한다. 다음 장에서는 '검은 피부의 하층계급과 모성'에 대한 주제를 다루며 하층 계급을 대표하는 모성으로서 맥티어 부인을 먼저 소개했다. 그녀는 다른 모성과 달리, 자녀양육에 최선을 다한다는 점에서 바람직한 모성으로 많은 학자들로부터 긍정적인 평가를 받는 어머니이다. 그러나 맥티어 부인은 자녀와의 소통을 결여함으로써 프리다와 클라우디아에게 베푸는 사랑의 표현이 인종의식을 주입하고 강요하는 결과를 가져와 자녀들로 하여금 두려움과 공포를 불러일으킨다. 맥티어 부인은 무의식중에 자녀의 말보다는 혼혈 소녀의 말을 더 신뢰하여 자녀에게 매를 들고, 자녀가 아픈 상황에서 혼잣말로 모욕적인 표현들을 내뱉으며, 백인 사회가 우상시하는 가치를 자녀에게 좋아하도록 강요하는데, 이 같은 그녀의 행동은 자녀와의 관계를 더욱 소원하게 만드는 요인으로 작용한다. 아이들이 성장한 후, 아이들은 이 같은 엄마의 행동이 사랑에서 비롯되었음을 알게 되지만 어린 자녀에게는 트라우마로 자리한다.

한편, 그 다음 장에서 분석되는 하층 계급을 대표하는 다른 한 명의 어머니, 브리드러브 부인은 완전한 모성부재의 전형으로써 인종적 수치심과 혐오감으로 인해 부정적인 자기표상을 내면화한 결과 딸 피콜라가 검고 못생겼다고 여기고 그녀에게 사랑을 베풀지 않는 비정한 어머니이다. 가정의 실질적인 가장인 브리드러브 부인은 생계를 위해 백인가정의 하녀로 일하지만, 점차 자신의 자녀는 잊은 채 하녀 일에서 만족을 얻으며 흑인 노예의 모습을 재현한다. 백인 가정의 부엌에서 피콜라가 고통을 호소하는 사고가 발생하지만 브리드러브 부인은 피콜라의 고통은 아랑곳하지 않고 짐작만으로 피콜라를 폭행한다. 이 같은 폭행은 촐리가 피콜라를 성폭행한 사건에서 피콜라에게 그 책임을 물어 그녀를 매질하는 상황에서 그대로 반복된다. 피콜라는 가정 문제의 원인 제공자이자 성폭행의 가해자인 아버지보다 징벌자인 어머니를 더 두려워하는데, 이 같은 현상은 부정적인 자기 표상과 환상 개념을 통해 그대로 제시된다. 피콜라가 어머니에 대해 갖는 무의식적 환상은 아무리 애를 써도 어쩔 수 없는 '추한 눈'과 같은 존재여서 차라리 자신이 사라지기를 바라는데, 피콜라는 결국 두려움을 유발하는 무의식적 환상에 갇혀 광기로 내몰린다.

가면을 한 중산층의 모성을 그린 그 다음 장에서는, 중산층 모성을 대표하는 세 명의 어머니 제럴딘, 에바, 루스를 분석하였다. 그 중 제럴딘은 경제적 지위가 향상됨으로써 그녀가 성장과정에서 보고 지녀왔던 모든 촌스러움Funkiness을 벗어 던지면서 인종적 혐오감을 취한 어머니이다. 그는 백인 남성중심의 가부장적 가치에 순응하는 교육을 받았으며 깨끗하고 단정하다는 것이 마치 백인들의 가치인 듯 아이 양육과 집을 관리하는 일에 그대로 적용하는데, 이것은 아들 주니어로부터 두려움과 공포 그리고 소외의 감정을 일으킨다. 그녀는 흑인적인 성향을 '추하고 더러운 검둥이'라는 추상적인 대상을 향해 투사하는데, 이 말을 듣고 자란 주니어는 자신 또한 피부가 검은 검둥이라는 사실에 낙담하고 좌절한다. 그는 거짓 자기를 발현시켜 모성적 권위에 굴복하면서 자신보다 약한 상대를 향해 자신의 분노를 표출하는 괴물 주니어로 성장하는데, 이것은 푸른 눈을 갈망하는 잘못된 모성이 만들어낸 끝을 보여준다.

또 한 명의 중산층 어머니 에바는 가난의 고리를 끊기 위해 열차에 다리를 절단하고 그 보험금으로 막강한 권력을 행사한다. 그녀가 얻게 된 힘은 그녀의 삶의 적극적인 조정자로 만들어 놓았고, 변화된 그녀의 모습은 개개인의 개별성을 무시하는 백인 노예주의 모습과 너무나 닮아있어서 자녀양육을 위해 최적의 환경을 제공하려던 에바의 의도와는 달리 위니콧이 주장한 '충분히 좋은 어머니'의 역할을 결여하고 있다. 에바는 자녀의 요구에 거울반응을 해주면서 동시에 자기를 느낄 수 있게 함으로써 자아 정체성을 형성하고 타인과 소통하게끔 하는 '충분히 좋은 어머니'의 역할에 실패한다. 가부장적 가치를 강요하는 에바의 모성은 무력한 아들 플럼을 불태우고 성차별과 가부장적 가치에 불응하는 손녀 술라가 고립된 채 죽음을 맞게 한다.

중산층 가정의 모성으로 마지막으로 다룬 루스는 가부장적 질서에 함몰되어 자기 존재감 자체가 너무나 미미하기 때문에, 흑인 의사였던 아버지의 명성과 흑인 자산가인 남편 메이컨의 재력이라는 남성적 힘에 의지해서 자신의 존재를 확인 받으려고 할 뿐 자녀 양육에 힘을 쏟지 못한다. 어머니가 없었던 루스는 큰 존재로 여겼던 아버지에 대한 집착이 너무나 강해서 남편 메이컨으로부터 아버지와 변태적 성관계를 가진 여자로 의심을 받아 부부간의 성 생활을 박탈당하며, 그 성적 박탈감을 아들 밀크맨을 통해 충족하려고 하는 병리적이고 부재한 모성을 보인다. 루스는 메이컨의 큰 차를 타고 부를 과시하는 일에 동참하지만 밖을 제대로 볼 수 없는 어린 아들을 세심하게 배려하지 못할 뿐 아니라, 다리를 절게 된 밀크맨의 신체적 결함에도 무심하게 대처한다. 결정적으로 루스는 성장한 밀크맨에게 수유를 지속하여 그의 유아시기를 확장함으로써, 밀크맨으로 하여금 초기 유아의 상태를 벗어나지 못하도록 하고 '존재의 연속성'이라는 자기에 대한 주관적 인식 단계에 이르지 못하도록 한다. 따라서 루스의 불충분한 모성 몰입은 유아, 어머니의 관계에 실패를 초래하고 밀크맨이 맺는 관계의 단절을 겪게 하며 그를 환영에 시달리게 한다.

모성부재로 인한 부성부재의 극복을 주제로 다룬 장에서 다루었던 세 명의 흑인 남성들 중, 촐리 그리고 기타와 밀크맨은 성차별로부터 비교적 자유로운 상태였지만 잘못된 성의식과 인종차별적 시각이 분노로 표출되면서 관계의 단절을 경험한다. 출생 직후 어머니에 의해 쓰레기 더미에 버려진 촐리는 할머니에 의해 구출되고 양육되지만 나약하고 초라한 환경을 혐오하면서 그녀의 돌봄을 모성으로 기억하지 않는다. 욕망이 절망으로 변한 어린 시절의 사건이 상흔으로 남은 촐리는 남성적 힘과 권력의 세계를 좇게 되지만 좌절되며, 더 이상 잃을 것이 없는 버림받음의 상태에서 딸을 겁탈하고 그녀를 광기로 내몬다. 위니콧이 정신병을 '환경의 결핍'이라 했듯이 촐리의 부성부재는 촐리와 어머니간의 초기 관계의 실패에서 비롯되었으며, 피콜라는 좋은 양육환경의 결핍으로 인한 희생양이 된다.

기타의 유년기 경험은 백인에 대한 극단적인 적대감, 하층민에 대한 연민, 그리고 중산층 흑인에 대한 불신으로 가득하지만, 이 같은 어린 아이가 감당하기 어려운 경험을 함께 나눠 줄 어머니의 모습은 작품 속에 나타나 있지 않다. 보울비의 '불안정 애착' 아동이 보이는 특징처럼, 기타는 세상을 위험한 장소로 간주하고 자신의 삶에 가치를 두지 않은 채 백인을 무작위로 살해하는 비밀 결사단의 구성원이 된다. 기타에게서 나타나는 병리현상은 피해망상이며, 그의 일상과 외부세계는 자신을 공격하는 나쁜 대상들로 가득한 편집, 분열시기에서 경험된다. 클라인의 이론대로, 기타가 좋은 부모의 돌봄을 받았다면 나쁜 대상으로부터 파괴적인 공격을 적절히 다룸으로써 부분이 아닌 좋고 나쁨이 공존하는 전체 대상을 볼 수 있는 다음 단계로 옮겨 갈 수 있었을 것이며, 증오의 기회만을 찾는 존재로 전락하지 않았을 것이다. 증오의 감정으로 편협해진 기타와 달리, 밀크맨은 남부로의 여행을 통해 자신의 겉모습에 나타난 오만한 백인의 모습을 확인하고 자아성찰의 기회를 갖게 됨으로써, 어머니를 포함한 가족에 대한 부정적인 생각을 떨쳐버리고 그들을 이해하게 된다. 비록 어린 시절 모성부재를 경험하지만 밀크맨은 남부에서의 산행을 통해 어머니와 같은 자연과 교감을 하게 되고 편집, 분열시기를 극복하고 전체로서의 삶을 보게 되는 정상적인 발달을 하게 된다. 서구의 이분법적 사고에 국한되지 않으면서 긍정적인 아프리카 정신을 표상하는 파일럿의 모성적 보살핌 또한 그가 물질주의의 병리적 증상에 빠져드는 것을 막아준다.

결국 밀크맨은 모성부재와 그것으로 인한 병리적 증상을 극복하고 가족관계와 종족과의 관계회복의 가능성을 여는 존재로 분석된다. 그의 깨달음은 자연과 종족의 과거와 자연을 담은 '남부라는 환경'과 아프리카 정신을 실천하는 '파일럿의 모성적 돌봄'이 있었기에 가능할 수 있었다. 모리슨은 현대 사회에서 희미해져가는 기형적 부성과 모성의 부재, 그리고 모성의 위치를 다시 한 번 확인시키고 있다. 모성이라는 개념은 고정적인 것이 아니라 변화하고 끊임없이 움직이는 힘이라는 사실을 분명하게 밝히고 있다. 본서는 결론적으로 인종문제를 다루기 위해서는 흑인 문제가 아닌 역사적 불평등이나 문화적 고정관념과 같은 미국의 결점을 다루어야 한다는 코넬 웨스트의 지적이 시사하듯이, 우선 미국사회의 사회문화적 편견을 제거하기 위해서 이분법적 사고의 폐단이 극복되어야 하며, 그 바탕 위에 성장하는 흑인들 또한 성장을 위해 사용해왔던 자신들의 뿌리에 대한 경멸을 중단하고 자신들이 가진 열정, 감정, 본성에 대한 진정한 의미를 새롭게 찾아야 할 것임을 주장하는 바이다.

인용문헌

강정희. 「『가장 푸른 눈』에 나타난 삶을 향한 죽음의 변주 읽기」. 『미국학논집』 42.2 (2010): 138-62.

고메즈, 라비니아. 『대상관계이론 입문』. 김창대, 김진숙, 이지연, 유성경 역. 서울: 학지사, 2008.

권혁미. 「『솔로몬의 노래』의 생태주의 읽기」. 『현대영미어문학』 28.1 (2010): 1-18.

김길수. 「『가장 푸른 눈』에 나타난 실존적 자아정체성」. 『현대영미어문학』 30.2 (2012): 133-53.

김애주. 「토니 모리슨의 『가장 푸는 눈』: 흑인 서술 미학의 한 보기」. 『동국리뷰』 24.5 (1996): 109-28.

______. 「토니 모리슨의 『솔로몬의 노래』와 『타르 베이비』에 나타난 해체적 신화 만들기」. 『영어영문학』 42.2 (1996): 381-96.

리치, 아드리엔느. 『더 이상 어머니는 없다』. 김인성 역. 서울: 평민사, 1995.

바뎅테르, 엘리자베스. 『만들어진 모성』. 심성은 역. 경기: 동녘, 2009.

박경순. 「존 보울비(John Bowlby)와 애착이론」. 『한국 심리치료학회지』 2.1 (2010): 109-20.

백낙승, 안경미. 「아프리카니즘과 성숙의 의미: 『솔로몬의 노래』를 중심으로」. 『인문과학연구』 28 (2011): 41-63.

이강선. 「『가장 푸른 눈』: 인종적 수치심의 전승과정에 대한 고찰」. 『영어영문학연구』 51.3 (2009): 238-57.

이금만. 「놀이를 통한 창조적 자기 형성 교육: 위니캇(Donald W. Winnicott)의 대상관계이론을 중심으로」. 『신학연구』 43 (2002): 241-66.

차민영. 「『가장 푸른 눈』: 흑인성 상실의 문제」. 『영어영문학연구』 50.4 (2008): 265-88.

최영민. 『대상관계이론을 중심으로 쉽게 쓴 정신분석이론』. 서울: 학지사, 2010.

캐시디, 쉔든. 『대상관계치료』. 이영희, 고향자, 김해란, 김수형 역. 서울: 학지사, 2005.

콜린스, 패트리샤 힐. 『흑인 페미니즘 사상』. 박미선, 주해년 역. 서울: 도서출판 여이연, 2009.

핑크, 브루스. 『라깡과 정신의학』. 맹정현 역. 서울: 민음사, 2002.

Allan, Tuzyline Jita. *Womanist and Feminist Aesthetics*. Ohio UP, 1995.

Angelo, Bonnie. "The Pain of Being Black." *A Conversation with Toni Morrison*. Ed. Danille Taylor-Guthrie. Jackson: UP of Mississippi, 1992. 255-62.

Baker, Houston A. *Workings of the Spirit: The Poetics of Afro-American Women's Writing*. Chicago: U of Chicago P, 1991.

Bjork, Patrick Bryce. *The Novels of Toni Morrison: The Search for Self and Place within the Community*. New York: Peter Lang, 1992.

Bouson, J. Brooks. *Quite As It's Kept: Shame, Trauma and Race in the Novels of Toni Morrison*. New York: SUNY, 2000.

Byerman, Keith E. *Fingering the Jagged Grain: Traditional and Form in Recent Black Fiction*. Athens: U of Georgia P, 1985.

Carmean, Karen. *Toni Morrison's World of Fiction*. New York: Whitston, 1993.

Christian, Barbara. *Black Feminist Criticism: Perspective on Black Women Writers*. New York: Pergamon, 1985.

______. ed. "The Black Woman Artist as Wayward in Harold Bloom." *Alice Walker, Modern Critical Views*. New York: Chelsea House, 1989. 40.

Conner, Kimberly Rae. *Conversations and Visions in the Writings of African-American Woman*. Knoxville: U of Tennessee P, 1994.

Denard, Carolyn. "The Convergence of Feminism and Ethnicity in the Fiction of Toni Morrison." *Critical Essays on Toni Morrison*. Boston: Hall, 1988. 170-78.

Gillespie, Diane and Missy Dehn Kubitscheck. "Who Cares? Women-Centered Psychology in *Sula*." *Toni Morrison's Fiction: Contemporary Criticism*. Ed. David L. Middleton. New York: Garland, 1997. 60-90.

Gonzalez, Susanna Vega. "From Emotional Orphanhood to Cultural Orphanhood: Spiritual Death and Re-birth in Two Novels by Toni Morrison." *Revista Alicantina de Estudios Ingleses* 9 (1996): 142-51.

Grewal, Gurleen. *Cicle of Sorrow, Line of Struggle: The Novels of Toni Morrison*. Batons Rouge: Louisiana State UP, 1998.

Harris, Trudier. "On the Color Purple, Stereotypes, and Silence." *Black American Literature Forum* 18.4 (1984): 156-57.

Hayes, Elizabeth T. ed. "Lee Seeing You Buried: Persephone in *The Bluest Eye*, Their Eyes Were Watching God, and The Color Purple." *Images of Persephone: Feminist Readings in Western Literature*. Gainesville: UP of Florida, 1994. 171-94.

Henderson, Mae G. *The Color Purple: Revisions and Redefinitions*. Ed. Harold Bloom. New York: Cherisea House, 1989.

Holloway, Karla. *Moorings & Metaphors: Figures of Culture and Gender in Black Women's Literature*. New Brunswick, New Jersey: Rutgers UP, 1992.

King, K. Deborah. *Womanist, Womanism, Womanish. Women's Studies Encyclopedia: Views From the Science Vol. 1*. Ed. Helen Tierney. New

York: Green Wood Press, 1989. 390.

Li, Stephanie. *Toni Morrison: A Biography.* Hampshire: Greenwood, 1977.

Matus, Jill. "Shame and Anger in *The Bluest Eye.*" *Toni Morrison.* Manchester: Manchester UP, 1998. 35-54.

McKay, Nellie Y. "An Interview with Toni Morrison." *Conversations with Toni Morrison.* Ed. Danille Taylor-Guthrie. Jackson: UP of Mississippi, 1994. 138-55.

Micucci, Dana. "An Inspired Life: Toni Morrison Writes and a Generation Listens." *Conversation with Toni Morrison.* Jackson: UP of Mississippi, 1994. 275-79.

Miner, Madonne M. "Lady No Longer Sings the Blues: Rape, Madness, and Silence in The Bluest Eye." *Modern Critical Views: Toni Morrison.* Ed. Harold Bloom. Philadelphia: Chelsea House, 1990.

Morrison, Toni. "Race Relations: On to Disneyland and Real Unreality." *New York Times*, Oct. 20, 1973, 4A:1.

______. *Sula.* New York: Knopf, 1973.

______. *Song of Solomon.* New York: Knopf, 1977.

______. "Rootedness: The Ancestor as Foundation." *Black Women Writers.* Ed. Mari Evans. New York: Doubleday, 1984. 332-45.

______. *Jazz.* New York: Plume, 1992.

______. "Afterword." *The Bluest Eye.* New York: Plume. 1993. 207-17.

Moynihan, Daniel P. "The Negro Family: The Case of National Action." *Office of Planning and Research, United States Department of Labor* (March 1965).

O'Brien, John. "Alice Walker: an Interview," 1973. Ed. Henry Louis Gates Jr., K. A. Appiah. *Alice Walker: Critical Perspectives Past and Present.*

New York: Amistad, 1993. 332.

Omolade, Barbara. *The Rising Song of African-American Woman.* New York: Routledge, 1995.

O'Reilly, Chilkwenye Okonjo. "Order and Disorder in Toni Morrison's *The Bluest Eye.*" *Critique* 19.1 (1977): 111-20.

Otten, Terry. *The Crime of Innocence in the Fiction of Toni Morrison.* Columbia: U of Missouri P, 1989.

Patterson, Orlando. *Slavery and Social Death: A Comparative Study.* Cambridge: Harvard UP, 1982.

______. *Rituals of Blood: Consequences of Slavery in Two American Centuries.* Washington D. C: Civitas Counterpoint, 1998.

Rigney, Barbara. "Hagar's Mirror: Self and Identity in Morrison's Fiction." *Toni Morrison: Contemporary Critical Essays.* Ed. Linden Peach. New York: St. Martin's, 1988. 51-69.

Sadoff, F. Dianne. "Black Matrilineage: the Case of Alice Walker and Zora Neale Hurston." *Alice Walker. Modern Critical Views.* Ed. Herold Bloom. New York: Chelsea House, 1989. 120-21.

Sanders et all. *Roundtable Discussion: Christian Ethics and Theology in Womanist Perspective. Journal of Feminist Studies in Religion* 5, 1999.

Smith, Barbara. "Beautiful, Needed, Mysterious." *Critical Essays: Toni Morrison.* Ed. Nellie T. McKay. Boston: Hall, 1988. Reprinted from Review of *Sula. Freedomways* 14.1 (1974): 68-73.

Stepto, Robert. "Intimate Things in Place: A Conversation with Toni Morrison." *Conversation with Toni Morrison.* Ed. Danille Taylor-Guthrie. Jackson: UP of Mississippi, 1994. 10-29.

Tally, Justine. *Toni Morrison.* New York: Cambridge UP, 2007.

Tate, Claudia. "Toni Morrison." *Conversations with Toni Morrison*. Ed. Danille Taylor-Guthrie. Jackson: UP of Mississippi, 1994. 156-70.

Taylor-Guthrie, Danille, ed. *Conversations with Toni Morrison*. Jackson: UP of Mississippi, 1994.

The Combahee River Collective. "A Black Feminist Statement." *All the Women Are White, All the Black Are Men, But Some of Us Are Brave*. New York: The Feminist, 1982.

Valdes, Vanessa K. "Toni Morrison and Motherhood: A Politics of the Heart." *MELUS* 30.3 (2005): 257.

Walker, Alice. *In Search of Our Mother's Gardens*. New York: Harcourt Brace, 1983. 57.

______. *Living by the Word: Selected Writings. 1973-1987*. London: The Women's Press, 1984.

______. *The Color Purple*. New York: Harcourt Books, 2003.

Watkins, Mel. *Sexism, Racism and Black Women Writers. The New York Times Book Review* 15, 1986. 35-36.

West Cornel. *Race Matter*. New York: Random House, 2001.

Winnicott, D. W. *The Maturational Process and the Facilitating Environment*. New York: International UP, 1965.

______. *Collected Paper: Through Paediatrics to Psycho-Analysis*. New York: Basic, 1975.

Wyatt, Jean. "Giving Body to the World: The Maternal Symbolic in Toni Morrison's *Beloved*." *PMLA* 108 (1998): 472-87.

| 지은이 | 김미아

1998년 미국 Washington D.C. Maryland 대학에서 석사학위 논문을 위한 자료수집과 준비과정을 마쳤으며, 2003년 작고하신 아버지가 함께 하셨던 전북대학교 영어영문학과에서 박사학위를 받고, 여러 대학에서 영어 과목의 강의를 해 오던 중 2005년 이래로 전주대학교 교양학부에서 전임강사로, 현 조교수로 활동하고 있다. 2004년 California State Univ. Fresno에서 TESOL certificate을 취득하였으며 랠프 엘리슨(Ralph Ellison), 엘리스 워커(Alice Walker)를 비롯, 또 한사람의 노벨 문학상 수상자인 흑인 여성 소설가 토니 모리슨(Toni Morrison)에 대한 논문을 수차례 연구, 발표해 왔다. 한국 방문의 해였던 2012년, 문화관광부 후원 하에 이루어진 "2012 아리랑 축제"의 한 향연으로 국제학술세미나가 국립중앙박물관에서 이틀에 걸쳐 이루어졌다. "세계속의 아리랑, 문화속의 아리랑"이라는 타이틀아래 행해졌던 국제비교세미나에서 본 작가의 "미국 흑인영가, 블루스, 그리고 아리랑 속에 드러나는 진실과 체험의 민족이데올로기"라는 논문도 발표되었다.

흑인들의 긍정성과 화합의 이데올로기의 근간을 소울과 블루스, 즉 그들의 문화유산에 근거해 탐구하고 입증하고자 한 필자의 노력은 그간 집필한 랠프 엘리슨과 토니 모리슨에 관한 여러 논문에서 찾아볼 수 있다. 이는 타인과의 관계성을 통한 화합의 모성 이데올로기의 추구라는 토니 모리슨의 『재즈』, "비상으로부터 상실, 긍정과 조화로움으로의 변화"에 이르는 흑인 이데올로기를 연구한 『솔로몬의 노래』의 밀크맨의 변화, 모성성의 개념을 재해석한 『솔로몬의 노래』, 상실과 치유의 변주를 노래하는 모리슨의 『재즈』, 상실과 복원, 변화로 이어지는 흑인정신을 연구한 『파라다이스』, 해체의 미학 『술라』 등으로부터 모리슨의 소설기법을 고찰한 모리슨의 반 언술적 소설 기법 재고찰: 『가장 푸른 눈』의 연구에 이른다.

2009년 KBS 클래식 음악 프로그램인 "노래의 날개" 코너에서 "영화 속의 블루스 그리고 재즈"라는 섹션을 이끌며 미국 흑인영가와 블루스 음악의 역사적 배경과 재즈로의 변천사를 영화를 통해 소개했다. 지은이는 블루스와 재즈의 긍정성과 그것이 흑인 민족사에 끼친 영향에 끊임없는 관심을 가져왔으며, 그러한 결실은 몇 권의 저서를 출판하게 했다. 뿐만 아니라 음악과 인연이 깊어 International Sori Festival에 초대된 몇몇 연주자들의 공연에서 그들의 음악세계가 관객들에게 잘 전달될 수 있도록 통역 일을 하기도 했다.

흑인의 모성

초판1쇄 발행일 2014년 11월 15일

지은이 김미아
발행인 이성모
발행처 도서출판 동인
주 소 서울시 종로구 혜화로3길 5 118호
등 록 제1-1599호
TEL (02) 765-7145 / **FAX** (02) 765-7165
E-mail dongin60@chol.com / **Homepage** donginbook.co.kr
ISBN 978-89-5506-635-7
정가 11,000원